国際主義の貫徹——プロレタリア階級闘争論の開拓

目次

プラズマ現代叢書 6

国際主義の貫徹

プロレタリア階級闘争論の開拓

松代秀樹
春木　良　編著

プラズマ出版

〈表紙の絵〉　イタリアの労働者階級の闘いとそごう・西武労働組合のストライキ闘争　椛　画
〈扉の絵〉　一九一八年、ロシアの兵士とドイツの兵士の交歓　椛　画

はじめに

二〇二三年の七月に、イタリアのミラノで、全世界の労働者階級の闘いを切り拓くための国際会議が開催された。これは、イタリアの共産主義組織ロッタ・コムニスタなどが呼びかけたものであり、世界各国からプロレタリア国際主義の立場にたつ諸組織の代表が結集した。

われわれはこの会議に代表を送り、一切の民族排外主義への転落を打破し、東西の帝国主義陣営がウクライナと東アジアで軍事的に争闘戦をくりひろげているという事態をその根底から突破するために全世界のプロレタリアートの国際的で階級的な団結をつくりだすべきことを訴えた。西側の帝国主義諸国家権力者に「ゼレンスキー政権にもっと兵器を供与してくれ」と叫ぶような、反スターリン主義運動からの脱落分子を一掃してすすむべきことを明らかにして、わが代表はこの論議を牽引したのである。

プロレタリア階級闘争の現状を突破していくためには、われわれは、イタリアで一九一九－二〇年にたたかわれた工場評議会運動の敗北からもその教訓をつかみとり、職場評議会を基底として全国的な労働者評議会（ソビエト）を創造していくためのわれわれの革命的実践の論理を解明していかなければならない。

この論理はプロレタリア階級闘争論として明らかにされるのであり、われわれは不断の闘いを基礎にしてこの新たな理論領域を切り拓き、われわれの実践そのものを高度なものとしていくのでなければならない。

われわれの仲間たちは、「連合」傘下の労働組合の下部の組合役員あるいは組合員としてたたかい、また労働組合が存在していない職場で一労働者としてたたかい、職場闘争を創造してきた。われわれは、われわれ自身がつくりかえてきた職場と創造してきた闘いの現実、この階級的現実そのものを変革するために、その指針を解明し諸活動をくりひろげてきたのである。そしてこの教訓を「階級闘争論」として明らかにしてきたのである。

以上の闘いとその理論的解明をまとめたのが本書である。

すべての労働者・勤労者・学生・知識人のみなさんが、本書に主体的に対決されることを望む。

二〇二三年九月一九日

編著者

Ⅰ　プロレタリア国際主義を貫徹した闘い

かちとられたイタリア・ミラノでの共産主義者の国際会議

春木　良

一　国際会議「帝国主義的世界秩序の危機とプロレタリアートの対応」
――革命的左翼の連帯を強化し、東・西帝国主義ブロック間の軍事的抗争を打ち破ろう！

二〇二三年七月一五日・一六日の二日間にわたり、イタリア・ミラノ市内のとある労働者クラブを会場にして、「帝国主義的世界秩序の危機とプロレタリアートの対応」（The Crisis in the Imperialist World Order and the Response of the Proletariat）を議題とする国際会議が開催された。これは、ロッタ・コムニスタ（「共産主義の闘争」）を中心とするイタリアの左翼諸団体が本年初頭に発した呼びかけに基づく会合であり、呼びかけに応えて世界各地から結集した諸組織は二五団体にのぼる。本年四月に参加の招請を受けたわが革共同探究派は、他団体と同様に事前に論文を提出した上で、ミラノ現地での会議に代表を派遣し、反スターリン主義革命的左翼としての立場を明らかにする報告を行った。

この国際会議には「革マル派」（中央官僚派）もまた事前に論文を提出していたのだが、彼らは登場しなかった――否、四面楚歌となることを恐れて、登場できなかった、と言ってよい。実際、民族排外主義の立場に転落した「革マル派」を徹底的に糾弾したわれわれに対して、多くの諸団体メンバーらが握手を求めてきた。今回の会合に参加した多くの人々にとって、「革マル派」の論文が最低水準にあること・それを批判するわが探究派こそが日本の国際主義者を代表していること、これはすでに共通の了解事項だったのである。

二日間の会合において、わが代表が強調したのは、次の二点である。

すなわち第一に、ロシア・プーチン政権によるウクライナ侵攻と、西側帝国主義諸国家によって軍事的・経済的に支えられたウクライナ・ゼレンスキー政府の反抗、この戦争を東西の帝国主義ブロック間での帝国主義戦争として認識するべきこと。「革マル派」中央官僚は、丸ごとの国民国家『ウクライナ』がプーチン政権によって攻撃されているという把握のもとに、ウクライナのブルジョアジーとプロレタリアートとが一体となって「レジスタンス」を闘っている、などと述べ、この戦争が帝国主義戦争であることを否認している。これは彼らが、〈帝国主義戦争を内乱へと転化する〉というレーニン的精神を放棄し、民族排外主義の立場へと転落したことを公然と居直るものである。国際反戦闘争の戦列を構築し、東西間の帝国主義戦争を打ち破るためには、そのような「革マル派」を弾劾してプロレタリア国際主義の立場を再確認することが、何よりも必要なのである。

そして第二に、ロシアによるウクライナ侵略戦争に反対する闘いをもつうじて、われわれ革命的左翼は自ら労働者階級の一員として、自己自身の職場を拠点にして階級闘争を推進するべきこと。一般にトロツキズムの伝統では、革命党が労働者階級に対して外部から介入して闘争方針を持ち込み、これをもって既存の政治力学を変化させる、という手法が一般化されてきた。だがこれでは、党が階級を外在的に牽引するというやり方から脱却できないし、労働者階級を自己解放の主体として組織し強化することもできない。そうではなく、われわれ革命的左翼は、労働者階級の外部において独立した革命的綱領を掲げるのみならず、われわれ自身が労働者階級の内部に存在して、この階級全体をプロレタリア革命に向けて前進させるべきである。プロレタリアートを一つの箱として表象した場合に、わが党員は、この箱の中に実存して、他の戦闘的労働者と力を合わせて、この箱全体を左に向けて内側から動かさなければならないのだ。そしてこの〈内在的超克〉においてこそ、われわれは既存の労働組合指導部の腐敗と対決するのみならず、労働者評議会の結成そしてプロレタリア革命の実現に向けて前進することができる。

わが代表はこのことを、演壇上のみならず会場の内外での個別の討論において、縦横無尽に訴えてきた。今回の会合に来場した第四インターナショナル諸派や旧「ミリタント」諸派をはじめ、既存の国際機関が七花八裂の状態にあることは、周知の通りである。こうした中でわが探究派は、新たなインターナショナルの創造を組織的目的として設定し、ミラノでの活動を展開した。言うまでもなくこれは、今ここで「第四」を統一するだとか「第五」を創設するだとか、そういう類のことではない。そうではなく、様々に異なったイデオロギー的＝組織的基礎を有する諸団体の間で、プロレタリア国際主義こそが相互協力の基盤であることを今一度確認し、その上で見解の差異について真摯な討論を行うことが重要なのである。この点で、今回の会合では、少なからぬ不一致もまた浮き彫りとなった。

そのひとつが、ロッタ・コムニスタの同志たちによって提起された「民族問題」（national question）への向き合い方である。彼らが正当にも指摘したように、今日では全世界のあらゆる「民族問題」が、東あるいは西の帝国主義ブロックの利害関心から無縁ではあり得ない。レーニンの時代とは異なり、「民族自決権」支持のスローガンを提起するべき植民地革命が今われわれにとって問題なのでもない。わが探究派の代表団もまたこの主張を支持した。「民族自決権」をドグマ化するならば、結局のところナショナリズムのイデオロギーを根底的に批判できないどころか、ブルジョアジーが扇動する「民族」対立に一層の油を注ぐことにしかならないのだからである。われわれはこのことを、かつてのユーゴ紛争において十分に学んだはずであるのに、しかしマンデル派をはじめとする諸君は今なお「ウクライナ人民の自決権支持」に固執している。そうした主張に立脚する諸君は結局のところ、ウクライナ労働者階級に民生品を送って生活支援を行うだとかの取り組みに注力する一方、このプロレタリア階級がゼレンスキー政権の戦時体制に組み込まれていることを明確に突き出しえないのである――それでもなお、NATOの武器供与が状況をエスカレートさせているのだと批判する点で、「革マル派」よりは遥かに上等なのであるが。

ともあれ、こうした相違点に関して討論を一層進化させるべきこと、そのために二〇二四年にも改めて会合を開くべきことが、参加団体の間で合意された。今回の会合のために用意された各組織の論文集は、実行委員会の手によって印刷出版される予定となっている。わが探究派は今後とも、プロレタリア国際主義の原則に立脚して、他国の諸団体との間で果敢に理論闘争を繰り広げる決意である。最後となるが、今回の会合へとわれわれを招聘してくれた実行委員会の諸君、通訳や送迎などの実務を担ってくれた同志たちに、心からのお礼を申し上げたい。

二〇二三年七月二〇日

二　国際会議における革共同探究派代表の発言（一日目）

同志諸君！

集会実行委員会は、ヨーロッパにおける戦争の再発と東アジアにおける緊張の高まりに直面し、新たな帝国主義の蛮行に対するプロレタリアートの闘いを組織するために、この会議を招集した。まさにこの瞬間、ウクライナでは、ロシアとウクライナの両方のプロレタリアートの多くの血が流され、まさにこの瞬間、東アジアでは、日本帝国主義と新たな帝国主義国家としての中国との間で軍事的抗争が始まっている。イタリアの同志たちの呼びかけに応じてここに来たわれわれは、国際的な反戦闘争を組織し、世界労働者階級の団結を創り出すために、今日と明日の討論を実りあるものにしなければならない。われわれは、東アジアの労働者階級の未来に責任を負う反スターリン主義革命的左翼として、以下のことを指摘したい。

（1）すなわち、この会議に参加するはずだった「革マル派」は、すでにプロレタリア国際主義の立場を放棄し、ゼレンスキー政権と西側帝国主義を支持する排外主義的立場に陥っている団体である。プロレタリアートの国際的団結を創り出すためには、彼らのイデオロギーを厳しく批判することが絶対に必要である。

彼らの文章を見てほしい。そこには驚くべきことが書かれている。

第一に、彼ら「革マル派」は、ゼレンスキー大統領を英雄であるかのように、ウクライナ労働者階級の利益の唯一の代表者であるかのように見なしている。しかし、ウクライナにおける階級対立を否定し、ブルジョアジーの政府を支持することは、第一次世界大戦が始まるとすぐに戦争指令を支持するように立場を変えた第二インターナショナルと同じ態度である。

なぜ「革マル派」がこのように考えるのかといえば、彼らは、ゼレンスキー政権をブルジョア国家権力と規定することも、ウクライナ侵略戦争を帝国主義戦争と見なすことも拒否しているからだ。これが第二の問題である。彼ら排外主義者は、ウクライナの労働者階級がロシアのプーチン政権によって攻撃されていることを理由に、彼ら労働者階級がウクライナのブルジョアジーと共にロシア軍と戦うべきことを主張している。「革マル派」によれば、ウクライナ軍と「郷土防衛隊」の闘いは、共にパルチザンの闘いなのだそうだ。しかし、これ以上に愚かな主張があろうか。かつてイタリアのレジスタンスは、ナチス・ドイツの支配に抗して闘ったのみならず、パドリオ政権と王党派を打倒するためにも闘ったのだ。しかしこのレジスタンスは、ブルジョアジーの政権を承認したスターリンによって阻まれたのである。レジスタンスの歴史を詳しく知っている者にとっては、ウクライナの国防軍をも「レジスタンス」と呼ぶ「革マル派」の主張がいかに反動的であるのかは明らかだろう。

一般に、このような国際会議において、一緒に参加している他の組織を非難することが生産的な方法でないことはよく承知している。しかし、さまざまな異なる意見にもかかわらず、ここに集まったわれわれの共通の基盤がプロレタリア国際主義の立場であることを確認する限り、「革マル派」がここに来ようとしたこと自体が極めて奇妙である。ゼレンスキー政権と西側帝国主義の応援団である彼らは、直ちにこの場

から立ち去るべきである――実際に、来なかったのだが。（会場、苦笑の声）

（2）民族排外主義者に反対して、われわれは次のことを明確にしておくべきだ。すなわち、ウクライナ戦争は、東西の帝国主義ブロック間の闘争が新たな次元に入ったことを告げたのである。プーチン政権がウクライナ侵攻を決定したのは、「革マル派」が言うように、彼の人格がスターリンのように暴力的だからなのではないし、いわゆる「大ロシア排外主義」のイデオロギーが戦争の原因だからでもない。二〇一四年のユーロマイダン「革命」は、ウクライナのブルジョアジーが西側諸国と同盟を結び、ロシア帝国主義と決別しようとする動きの中で起こった。これは、西側帝国主義が自らの勢力圏を東方へ拡大しようとする積極的な攻勢の結果であり、ロシア帝国主義にとっては見逃すことのできない動きであった。

言うまでもないが、私は今回のウクライナ戦争の責任がNATO側にのみあると主張しているわけではないし、戦争狂のプーチンを擁護しているわけでもない。むしろ、旧ソ連圏を自らの経済的・軍事的支配下に置こうとしているロシアは、中国とともに東方の帝国主義ブロックを形成しているのであり、今回のウクライナ侵略戦争は、この東の帝国主義が西側に対して軍事的対抗を開始した歴史的転換点であると言っておきたい。そして、西側の帝国主義勢力は、ウクライナのプロレタリアートを血祭りにあげることができる限り、東側に軍事的に対抗することをためらわない。西側帝国主義は、かつてゼレンスキーが「中立化」の考えを口にしたとき、彼の頬を叩いたのだったが、今や最新の兵器を次々と送り込み、戦争を泥沼化させている。この最新兵器には、クラスター爆弾や劣化ウラン弾も含まれていることを見逃してはならない。

この点で、ウクライナにおける戦争と東アジアにおける緊張の高まりを、相互に関連するひとつの状況として認識することが重要である。世界はすでに戦争の時代に突入している。東西の帝国主義ブロックは、今後あらゆる場所で衝突するだろう。ウクライナもその一つにすぎない。帝国主義の戦争では、どちらが軍事行動を開始するかはまったく問題ではない――このことを指摘したイタリアの同志たちを、私は高く評価したい。なぜなら、東西の帝国主義ブロックが衝突するこの時代において、平和とは休戦、敵対行為の延期にすぎないからだ。戦争を止めるには、プロレタリアートが帝国主義ブロック内の自国のブルジョア政府を打ち負かす以外に方法はない。レーニンの精神を思い起こし、われわれは、帝国主義戦争を内乱へと転化させなければならない。そのための力は、プロレタリアートの団結である。

（3）今問われているのは、いかにしてプロレタリアートの団結をつくり出し、いかにして革命的な力をつくり出すかである。この点で、われわれは、すでに存在している階級闘争を推し進めるだけでなく、われわれ革命的左翼の一人ひとりが、自分の職場などで、プロレタリアートの新しい団結をつくり出さなければならない。言い換えれば、労働者階級の外に革命家の集団を作り、外から労働者階級に革命戦略を提示するだけでは不十分だということを、私は強調したいのだ。われわれ革命家は同時に労働者である。他の労働者と協力し、あらゆる職場で資本家の攻勢に対抗する闘いを主導すべきである。この闘争を通じて、すべての職場に革命党の細胞を作るべきである。これは、プロレタリア権力の建設に向けた第一歩である。私がこのことを強調する理由は、プロレタリア革命を実現するためには、労働者評議会の結成のために闘う必要があるからである。

諸君がよくご存知のように、労働者評議会は、パリ・コミューン、ロシア革命、一九五六年のハンガリー革命において、プロレタリア統一戦線の最高形態として形成されたのであり、プロレタリアート独裁の過渡的国家の基礎をなすべきものである。現代におけるプロレタリア革命の可能性を考えるとき、スターリン主義が労働者評議会の重要性を否定したこと・プロレタリア民主主義を抑圧したことを非難するだけでは十分ではない。われわれはまた、地区ソビエトを基本単位として革命を実現したものの、工場評議会（工場委員会）との有機的結合を達成できなかったボリシェヴィキの失敗からも、教訓を引き出さなければならない。この文脈において、一九一九年から一九二〇年にかけてのイタリアの工場評議会の経験を研究する必要があると考える。これらの歴史的教訓に基づいて、プロレタリアートの権力の確立に向けて前進しよう！

プロレタリアートの団結を前進させるために、私からは以上の問題を提起する。

二〇二三年七月一五日

三　二日目の討論における革共同探究派代表の発言

国際会議「帝国主義的世界秩序の危機とプロレタリアートの対応」の二日目（七月一六日）は、初日になされた各団体の報告および事前に寄稿された論文について、出席者それぞれが意見表明する場となった。以下は、この二日目の討論においてわが探究派代表がおこなった発言の日本語訳である。

同志諸君！

昨日〔会議初日＝七月一五日〕の皆さんの発言を聞いて、われわれのほぼ全てには共通の基盤があるという印象を受けました。すなわち、われわれのほとんど全てが、ロシアのウクライナ侵攻を東西間の帝国主義戦争として批判しています。そしてわれわれは、プロレタリアートの国際的団結のみがこの戦争を終わらせ、この団結のみがわれわれの未来を社会主義に向かって切り拓くことができるのだと信じています。もちろん、左翼の間の様々な分裂を揚棄するには、このような小さな抽象的統一だけでは不十分です。また、今ここで新しいインターナショナルを創設することが問題なのでもありません。重要なのは、相互協力の基盤を持つことです。私たちは、国際的な結合をこれから発展させていく方向が何なのかについて考えるべきです。

このような見地から、以下、二つのテーマについて私の見解を述べることにします。

第一に、私たちマルクス主義者が「民族問題」にどう対処すべきか、の問題です。何人かの同志諸君は、マルクス主義者は民族自決権を擁護し続けるべきだと主張し、レーニンが書いた一九一四年の論文〔「民族自決権について」、『全集』第二〇巻所収〕に言及しました。これとは対照的にロッタ・コムニスタの同志たちは、民族運動は国際主義に従属すべきであること、現代帝国主義の時代にあって民族主義が何らかの進歩的役割を果たすことはありえないことを指摘しました。私は、原則として、後者の主張に同意します。民族自決権というテーゼを教条化する者は、あるエスニック集団が他のエスニック集団と混在して暮らす地域に火を放つことになります。私たちはユーゴスラビア紛争においてこのことを学んだはずです。ウクライナにおいて「民族問題」が深刻に受け止められるべきものであるとすれば、それは西側あるいは東側の帝国主義的利害に起因するのです。

ところで、私は今「エスニック」という形容詞を使いました。エスニック集団とはさしあたり、言語、生活様式、宗教などの共通性に基づく共同体として定義されます。世界中には無数のエスニック集団が存在しますが、すべてのエスニック集団が「国民」（ネイション）と同一なのではありません。ナショナリティの問題を論じるためには、エスニック集団の概念とネイションの概念を、マルクス主義の観点から正しく理解する必要があります。

この点で、私はマルクスとエンゲルスの初期の著作『ドイツ・イデオロギー』を参照したいと思います。皆さんがよくご存知の通り、ブルジョアジーの特殊な利害と、プロレタリアートの特殊な利害とは、決して両立しません。そして二つの階級それぞれの特殊な利害が対立するところでは、共同体は成立しないのです。階級間の対立にもかかわらず、ブルジョアジーがプロレタリアートをイデオロギー的に支配するためには、虚偽の共同性を作り出す必要があります。この虚偽の共同性こそ、資本家も労働者も同じ「国民」としての利害を持っているという幻想です。マルクスとエンゲルスは、「国家とは共同性の幻想的な形態である」と書いています。では、ブルジョアジーは、その幻想的な共同性の材料として何を使うのでしょうか？　それこそまさに、言語、生活様式、宗教の伝統なのです。要約すれば、ブルジョアジーは、エスニックな共通性を持つ集団が直接「国民」になるわけではありません。その反対です。ブルジョアジーは、幻想的なナショナリティを作り出すための基礎として、エスニックな共通性を必要とするのです。

私は、エスニック集団の違いが直接政治的対立につながるのではないと思います。そうではなく、あるブルジョアジーと別のブルジョアジーとの間の政治的対立が、あるエスニック集団と他のエスニック集団との関係を「民族問題」にしてしまうのです。この意味でも、「民族自決権」を依然として擁護するのは、あまりにナイーヴです。

第二に、スターリン主義国家が「堕落した労働者国家」であったか否か、の問題について。もちろん、多くの同志諸君が今日のロシアと中国とを帝国主義国家として把握していることを、私は高く評価しています。しかしそれだけでなく、スターリン主義を根本的に克服し、社会主義経済を建設するためには、スターリン主義の概念を正確に定義することが極めて重要です。この点で私は、トロツキーの「堕落した労働者国家」という定式を問題視しています。

「堕落した労働者国家」という概念は、ソ連邦が生産の基幹部門を国有化したこと、そして生産手段の所有権が集団的なものであることを、前提としています。この見方では、スターリン主義官僚は、国有化された生産から利益を得る特権的な行政機構だ、ということになります。昨日私が話をした同志たちの中には、ソ連邦において生産手段は依然として労働者階級の集団的所有物であり続けたし、したがってソ連邦は、スターリン主義官僚の特権にもかかわらず、労働者国家であり続けた、そのように主張する人もいました。このように主張する同志たちは、論理的には、ソ連邦の国有財産を擁護することがわれわれマルクス主義者の最も重要な任務であると主張することになります。

しかしそのような見方は、私の見るところ、きわめて馬鹿げています。生産手段が国有化されたという事実は決して、プロレタリアートが実際に生産手段を所有した、ということを意味しないからです。「堕落した労働者国家」というテーゼは、ソ連において生産手段が名目上「集団所有」であったことをそのまま現実の所有関係の表現だとみなす、素朴な見解に基づいています。

決定的な問題は、誰が実際に生産手段を手にしていたか、という点です。ソ連邦のプロレタリアートは生産手段を持っていませんでした。それは、すべての企業に存在すべきソヴィエト＝労働者評議会が、スターリニストによって形骸化されるか、あるいは破壊されたからです。ある国家が労働者国家であるか否かは、生産手段が国有化されたか否かで決定することはできません。むしろ重要なのは、労働者評議会へと結集した労働者階級が、自ら生産を計画し、生産計画を実施できることです。なぜなら、マルクスとエンゲルスが指摘したように、労働者階級の解放は労働者階級自身によって達成されるのだからです。

私が昨日の演説で労働者評議会の重要性を強調したのは、以上のような理由によるのです。われわれの革命的イニシアティヴによって、プロレタリアートが既存のブルジョア国家内部において労働者評議会を形成し、生産手段を事実上掌握することができるならば、これは二重権力状態を創出し、プロレタリア革命への道を切り拓くことになります。実際的な見地からしても、労働者評議会の形成は決して将来の目標ではありません。今日、帝国主義諸国家においては、あらゆる労働組合が労働貴族と修正主義者たちによって支配されています。職場における彼らの支配を打破するために、われわれマルクス主義者は、戦闘的労働者を既存の労働組合の内部で組織するだけでなく、今ここで、労働者評議会を創造するための基礎を建設するよう、努力しなければなりません。この理由からして、われわれマルクス主義者は、プロパガンダをするだけでなく、自らの職場で活動しなければならないのです。

二〇二三年七月一六日

〔ミラノ国際会議のために事前に提出した論文〕

破産したスターリン主義をのりこえ東西の帝国主義を打倒するための全世界のプロレタリアートの任務

日本革命的共産主義者同盟探究派

1

プーチンのロシアは、労働者・農民を強権的に兵士として動員してウクライナに侵略し、むごたらしい人民殺戮の戦争を推進している。ウクライナのゼレンスキー政権は、NATO諸国から供与された兵器を労働者・農民にもたせて「領土防衛」の戦闘をくりひろげさせている。アメリカ・ヨーロッパの帝国主義国家権力者どもは、ウクライナの支配者たるゼレンスキー政権に戦車などの兵器をあたえて、ロシアと戦わせているのである。フィンランドはNATOに加盟した。日本の岸田は、キエフに飛び、ゼレンスキーに支援を約束した。習近平の中国は、侵略するロシアを経済的に支えている。

このようなかたちでくりひろげられている戦争は、帝国主義戦争の二一世紀的形態にほかならない。

いまこそ、われわれは、「帝国主義戦争を内乱に転化せよ」というレーニンの原則を二一世紀現代世界に適用し貫徹するのでなければならない。

われわれは、ロシア、ウクライナ、NATO諸国、日本、そして中国の、プロレタリアートの国際的な階級的連帯と団結をもって、国家権力者どもの諸策動をうちくだき、この戦争を阻止しなければならない。ロシアのプロレタリアートはプーチン政権を打倒しなければならない。ウクライナのプロレタリアートはゼレンスキー政権を打倒しなければならない。

東アジアにおいても、台湾をめぐって、アメリカと中国とが軍事的および政治的の諸行動を強化している。いままさに、この地で、戦争勃発の危機が深まっている。アメリカのバイデン政権は、中国と対抗するために、アメリカ軍の行動を強め、台湾政府を抱きこむための諸行動をくりひろげている。中国の習近平指導部は、「台湾の武力的解放」の意志を隠そうとはしない。アメリカ帝国主義国家と軍事同盟を取り結んでいる日本帝国主義国家は、敵国とみなした国の基地を先制的に攻撃する軍事的能力をもつことを決定し、その準備と軍事力の飛躍的な増強を着々とすすめている。

われわれは、これらの諸国家の諸策動をうちくだくために、中国、アメリカ、台湾、そして日本の、プロレタリアートの階級的で国際的な団結を創造し、強化しなければならない。

2

二一世紀現代世界において相対立する諸国の一方の側の極をなす、アメリカ・イギリス・ドイツ・フランス・イタリア・そして日本などは、二〇世紀初頭に帝国主義国家として形成され、革命ロシアを変質させて成立したソ連スターリン主義国家とソ連圏に対抗して国家独占資本主義という経済形態をとり、その破綻の弥縫をかさねてきた。このような西側の諸国家を、従来型の帝国主義国家と呼ぶことができる。

これにたいして、他方の側の極をなす、ロシアおよび中国は、一九九一年のソ連の崩壊を結節点としてスターリン主義官僚専制国家から資本制国家に転化したのであり、二〇〇〇年代に入ってから、両国は、西側帝国主義諸国と対抗するために帝国主義国家としての政治経済的基礎と軍事力を構築してきたといえる。両国の政治経済構造は、スターリン主義政治経済体制を解体したうえにうちたてられたところの国家資本主義であり、その国家の本質はブルジョアジー独裁である。このような東側の両国家は、スターリン主義官僚専制国家から転化した帝国主義国家である、という意味において、これを、端的に、転化型の帝国主義国家と呼ぶことができる。

ロシアのウクライナ侵略を動因として形成された現代世界は、軍事的・政治的・経済的に抗争する東側帝国主義の陣営と西側帝国主義の陣営、および、この両者から甘い汁を吸おうとしているインド・ブラジルなどのグローバル・サウス諸国、この三極を基軸として運動している、と言える。

この現代世界において、各国の革命的前衛党は、世界プロレタリア党の創造をめざして国際的に固く団結し、自国のプロレタリアートを階級として組織して、西側帝国主義諸国家権力、東側帝国主義諸国家権力、そしてすべての国ぐにの資本制諸国家権力を、連続的・永続的に打倒し、プロレタリアート独裁国家をうちたてなければならない。そのための世界革命戦略は、〈反帝国主義・反スターリン主義〉でなければならない。なぜなら、現存する国家権力を打倒するためには、革命的プロレタリアは、破産したスターリン主義をその根底からのりこえるためのイデオロギー的＝組織的闘いをくりひろげ、反スターリン主義の革命的前衛党を創造し、これを基礎にして、プロレタリアートとその他の勤労諸階級・諸階層を、さまざまなナショナリズムや社会民主主義やそしてスターリン主義のイデオロギーから解き放ち階級として組織しなければならないからである。このようにプロレタリア革命の実体的＝組織的基礎を創造するための指針、すなわち革命の主体を組織するための指針は、これを、組織戦術と呼ぶことができる。われわれはわれわれの組織的闘いの指針たる組織戦術に反スターリン主義をつらぬかなければならないのであり、プロレタリア革命のための戦略・戦術とともに組織戦術を解明し、みずからの実践に適用しなければならない。

3

わが探究派は、日本において、反スターリン主義運動から脱落した「革マル派」や、堕落したトロツキスト諸派がウクライナでの戦争をめぐって祖国防衛主義＝民族排外主義に転落したことをあばきだしそれを克服するためのイデオロギー闘争を展開してきた。

「革マル派」は、ロシアの侵略を「ウクライナの国家と民族の絶滅を狙うものだ」と弾劾し、西側諸国にたいしては、「プーチンの核の脅しに恐れをなして、ウクライナの国家と民族と領土の防衛のために戦うゼレンスキー政権への兵器の供与を手控えている」と非難した。これは、第二インターナショナルの社会民主主義者と同じ祖国防衛主義に転落したものにほかならない。彼らは、ウクライナの労働者階級・農民を支配しているゼレンスキー政権を西側諸国が支援してくれることをこいねがっているのである。この西側諸国は、ウクライナの労働者と勤労大衆をロシアの軍隊と戦わせるためにゼレンスキー政権に兵器を供与しているのである。「革マル派」は、この西側帝国主義勢力の一翼にみずからを位置づけたのである。

彼らは、ウクライナにおける支配階級と被支配階級の対立、および、ロシアにおける支配階級と被支配階級の対立を無視抹殺し、現下の戦争を、丸ごとのウクライナ民族を丸ごとのロシア民族が絶滅するための戦争と捉えているのである。

ロッタ・コムニスタは、この「革マル派」を次のように批判した。

「同志諸君、世界の緊張が高まっているこの時期に、レーニンを読み直そう！」。「これがいかに困難であろうとも、少数派として、極端に孤立していても、革命家がこの意味で、この精神で、この方向をさししめすために活動することは決定的である。」「世界帝国主義に反対する革命的な闘いを見ずに、ロシア帝国主義の侵略にたいする防衛戦争だけを見るならば、木を見て森を見ず、ウクライナの労働者は、革命的支援の可能性なしに、ブルジョア民族勢力と世界帝国主義の策略にゆだねられてしまうのである。」

われわれはこの批判を断固として支持する。

ウクライナおよびロシアの革命家は、それがいかに困難であろうとも、プロレタリアを階級として組織し、自国政府を打倒する主体を創造すべきなのである。世界各国の革命党は、自国のプロレタリアートを階級的に組織し、ウクライナとロシアの労働者を革命的に支援しなければならない。

現存するロシアの国家は、プーチンの手下とロシアのオリガルヒとを中軸とするブルジョアジーがプロレタリアートを支配するブルジョアジー独裁の帝国主義国家である。現存するウクライナの国家は、政治的にはウクライナ民族至上主義である勢力とウクライナのオリガルヒとを中心とするブルジョアジーがプロレタリアートを支配するブルジョアジー独裁の資本主義国家である。このウクライナの国家を西側の帝国主義諸国家が支援しているのである。

このようなロシアとウクライナとの対立は、民族と民族との対立なのでは決してない。この両者のあいだには、「民族問題」というように捉えられるようなものは存在しない。ロシアのプロレタリアートを支配するロシアのブルジョアジーの国家と、ウクライナのプロレタリアートを支配するウクライナのブルジョアジーの国家とが対立し、軍事的に衝突しているのである。ブルジョア国家同士が対立しているのである。また、ウクライナには、「民族ブルジョアジー」と呼べる者たちも、「買弁ブルジョアジー」と呼べる者たちも、いないし、いなかった。ロシアがウクライナに侵略するまでは、ウクライナには、主要に西側の独占資本家どもと結びつくことに利益をみいだしていたオリガルヒと、主要にロシアのオリガルヒと結びつくことに利益をみいだしていたオリガルヒとがいたのである。しかも、ウクライナの貿易相手国の第一位を中国が占めていることに端的にしめされるように、そのいずれもが、中国の官僚資本家や新興資本家と結託することを自己の利益の源泉としてきたのである。

このような資本家どもを階級的基盤とするウクライナの国家の権力者は、反ロシアの排外主義＝ウクライナ民族至上主義のイデオロギーを流布し貫徹して、労働者・農民をその国家のもとに国民＝民族として統合してきたのである。

このようなウクライナとロシアのあいだに「民族問題」といったものを発見する、というのはアナクロニズムである、といわなければならない。

問題は、ウクライナにおける階級闘争の変質にある。

ロシアがウクライナに侵略する前には、ウクライナの労働組合は、ゼレンスキー政権がおしすすめる労働法の改悪に反対して大規模な抗議行動をおこなってきた。だが、この侵略の開始の直後に、ウクライナ国会は「戒厳令のもとでの労使関係」を規定する法律を可決し、ゼレンスキーが署名した。それは、戦闘状態と戒厳令のもとでは、使用者は、労働者を解雇することができ、労働者に賃金を支払うことを停止することができ、さらに労使協定の効力を停止することができる、とするものであった。

この事態にたいして、ウクライナのナショナルセンター、ウクライナ労働総同盟（ＦＰＵ）に所属するウクライナ郵便労組のスタロドゥブ委員長は次のように言った、というのである。

「ウクルポーシュタ（ウクライナの公的郵便事業）の労働者は、戦時のボランティア活動に従事し、防弾チョッキの部品を準備し、それを縫ったり、偽装作業用の網を編んだり、互いに助け合い、人道支援物資を届けたりしている。戦時下であり、労働組合としては、全国民がロシアとの戦いに勝つという目的のために一つになることが必要と考えている」、と。

これは、自労組の組合員である労働者たちを裏切って「祖国防衛」の立場に転落し、労働組合を戦争遂行隊に変質させ、労働者たちを戦争の後方活動に積極的に動員した労組幹部＝労働貴族の自己正当化の言である。

ウクライナの労働組合の幹部たちは、ロシアとの戦争の勃発とともに、祖国防衛主義に転落し、労働組合を戦争遂行隊に変質させたのである。

ウクライナの階級闘争のこのような現実をうちやぶるためにウクライナのプロレタリアートと階級的に連帯することこそが、われわれに問われているのである。

4

その地が帝国主義国の植民地であったばあいには、その地の革命的プロレタリアが創造した革命党は、

「民族独立」の指針をうちだすのであり、その地の労働者・農民が帝国主義本国との関係において直面している問題を「民族問題」と呼ぶことができるのである。

その地に独立した資本主義国家がうちたてられているばあいには、たとえその国の経済が後進的であり、帝国主義諸国から種々のかたちで政治的軍事的および経済的に規制をうけていたとしても、この国の革命党は「民族独立」の指針をうちだすべきではない。なぜなら、この地にはブルジョアジーの国家がうちたてられているからであり、この国と帝国主義国との関係は、後進的な資本主義国家と帝国主義国家との関係をなすからである。したがって、この両者の関係において生起している問題を「民族問題」と捉えることはできない。

植民地においては、帝国主義本国からの独立の要求は、プロレタリア世界革命の一環としての・その地のプロレタリア革命の過渡的要求をなす。革命党は、プロレタリア的課題を実現する指針とともに「民族独立」の指針をも提起してプロレタリアートと農民を階級的に組織し、プロレタリアートのヘゲモニーを貫徹して民族ブルジョアジーやその他の諸階層をもふくめた統一戦線を結成し、帝国主義本国のプロレタリアートとの国際的な階級的団結のもとに、この植民地での労働者・農民の（民族ブルジョアジーをふくむ）ソビエトの創造を組織的基礎にして、民族独立の課題を、プロレタリアート独裁権力の樹立として実現しなければならない。

ウクライナはどこかの国の植民地ではないのであり、このような闘いの指針は問題とはならないのである。

二一世紀現代世界における焦眉の課題は、プロレタリアをあらゆるナショナリズムの呪縛から解き放ち、階級として組織することである。われわれはこの課題を実現するために奮闘するのでなければならない。

同志諸君！

団結してたたかいぬこう！

二〇二三年四月二六日

〔ミラノ国際会議での論議を活発にするための論文　その一〕

ナショナリズムの超克——植民地と後進国におけるプロレタリア革命のための任務

松代秀樹

その国が後進の資本主義国であり、帝国主義諸国からさまざまな政治的軍事的および経済的の規制をうけているのだとしても、資本主義国家がうちたてられているのであるかぎり、その国の労働者・農民が「ナショナールな意識」「民族意識」といった即自的な意識をもっていると想定しそのように論じるのは、きわめて観念的な理論操作である。なぜなら、ブルジョアジーはみずからの国家をうちたてる過程において、そして国家を樹立したうえでは国家権力者および支配階級として、ナショナリズムのイデオロギーを生産し流布し、被支配階級たる労働者階級・農民にそれを貫徹して、彼らをその国家（state）のもとに国民＝民族（nation）として統合したのだからである。したがって、個々の労働者や農民は、国家権力者とブルジョアジーが流布し教育によって付与したナショナリズムをうけいれ体得して、自分自身の意識をつくりだしたのであり、その意識は、自然発生的に生みだされた即自的な意識では決してないのである。

まさにこのゆえに、この国の革命的プロレタリアが創造した前衛党は、ナショナリズムをふりまき教育する国家権力者や支配者たちや支配的知識人・教育者たちとのイデオロギー闘争を徹底的に遂行しなければばならないのであり、労働者や農民を彼らがうけいれ体得しているナショナリズムのイデオロギーから解き放つための彼らとの思想闘争を、さまざまな闘いの過程において、またその闘いの総括をとおして、執拗に組織的にくりひろげなければならないのである。このような国の「労働者・人民の民族意識を前衛党は受けとめる」というような話しでは決してないのである。

だからまた、このような資本主義国家と帝国主義国家とのあいだに生みだされている問題を「民族問題(national question)」というように捉え、そのように描きあげるのは、観念的な意識操作なのである。

これにたいして、レーニンの時代や一九五〇～六〇年代の植民地について考えよう。

われわれは、帝国主義国が或る地を植民地とし、その地の労働者たちや農民たちを直接的に支配しているという問題を、「民族問題」と捉えることができる。

その地が帝国主義国の植民地であったばあいには、その地の労働者や農民は、外国の国家に自分たちが直接的に支配されることにもとづいて、この支配への反感と反発を民族意識というかたちで抱くのであり、このことを物質的およびイデオロギー的基礎として、この地の革命的プロレタリアが創造するプロレタリア党は、「民族独立」を、プロレタリア世界革命の一環としてのこの植民地のプロレタリア革命の過渡的要求として、明らかにし提起しなければならない。

帝国主義国家と諸独占体は、その植民地に資本を直接的に投下して、その地の地主階級を支配下におき、農民をその地主の小作人・あるいは・新たにつくりだしたプランテーション経営の農業プロレタリアに転化する。それとともに、鉱業および工業を起こし、自分たちの指示のもとに動く資本家を育成すると同時に、農民から土地を収奪して彼らを鉱工業プロレタリアに転化する。このときに育成された資本家は、買弁ブルジョアジーとなる。この動きに反発したところのこの地の比較的に上層の部分は、民族ブルジョアジーや小商品生産者層やまた知識人層へとみずからを成長させ、これらの諸階級・諸階層を形成する。これらの部分は、「民族独立」を旗印としたナショナリズムのイデオロギーを生産し、労働者や農業プロレタリアをふくむ農民にも流布する。

プロレタリア党は、労働者と農業プロレタリアと地主のもとで働く農民にナショナリズムからの脱却と階級的自覚をうながし、彼らを階級として組織して、彼らのヘゲモニーのもとに民族ブルジョアジーやその他の諸階層と提携して統一戦線を結成し、これを主体として、植民地支配と搾取と収奪に反対する闘いを展開しなければならない。プロレタリア党は、この統一戦線をソビエトの結成へとたかめ、これを実体的基礎として、帝国主義本国のプロレタリアートとの国際的な階級的団結のもとに、プロレタリア的諸任務とともに「民族独立」の任務を、この地におけるプロレタリアート独裁権力の樹立として遂行し実現しなければならない。

これが、植民地においてプロレタリア革命をどのように実現するのかという主体的推進の構造の主体的解明である。

この植民地革命の構造の解明とは区別して、資本主義国家がうちたてられている国において、前衛党は、プロレタリア革命を実現するためにプロレタリアートをどのようにして階級として組織するのかということの主体的構造を、われわれは主体的に解明するのでなければならない。

二〇二三年四月二八日

〔ミラノ国際会議での討論を活発にするための論文　その二〕

労働組合・職場での闘争にとりくむ前衛党組織とその成員の諸活動の解明

松代秀樹

1

プロレタリア世界革命のためにたたかう全世界の同志たち！

プロレタリア前衛党は、プロレタリア革命の主体をなすプロレタリアートを階級として組織するために、労働者たち一人ひとりを変革しなければならないのであり、党組織の構成員は、党員としての独自の活動を遂行するばかりではなく、労働組合においては組合員あるいは組合役員として、また、労働組合が結成されていない職場においては一労働者として、ウクライナ反戦闘争、賃上げ闘争、そして合理化反対闘争などの諸闘争の指針を積極的に提起し、この指針にのっとって労働者たちの先頭にたってたたかい、彼らを変革し組織する諸活動をくりひろげることが肝要である、とわれわれは考える。それはまた同時に、前衛党組織を、マルクス主義を体得し共産主義的意識を獲得した革命的プロレタリアをその構成員して創造し建設しなければならない、ということにもとづくのである。

われわれは、このような立場にたって、日本におけるわれわれの闘いの教訓を明らかにしたい、と考える。

日本においては「連合」という名の労働組合連合体が結成されており、軍需諸産業を基盤とし、日本のナショナリズムならびに国家と企業に奉仕するというイデオロギーを精神的支柱とする労働貴族がその指導部を牛耳っている。この「連合」の傘下の産業別労働組合連合体は、それぞれの企業に結成された労働組合（企業別労働組合）が産業別にゆるやかに結びつくという形態をとっている。われわれの党員は、この企業別労働組合の下部組織の執行部役員あるいは組合員として活動しているのである。

わが党員はこのような企業別労働組合の下部組織のリーダーというかたちでも活動している。このような諸条件のもとで、わが党員は組合役員としてどのように方針を提起し諸活動をくりひろげるべきなのか、ということを明らかにすることが必要である。

2

多くの企業では、その経営陣は、全社的なコンピュータシステムを導入し、これに見合うように人員を入れ替え労働組織を再編する、という合理化攻撃をかけてきている。このような企業の労働組合の指導部の多くは、階級協調主義の右翼的な社会民主主義的イデオロギーにもとづいて組合運動を推進しており、経営陣のこの提案をうけいれたうえで、会社の提案が実施されるということを組合の各級の機関に通告してくるのである。

わが党員は組合下部組織のリーダーとして、この通告を受けるとすぐに、「この再編によって労働者たちが犠牲をこうむることがあってはならない」ということを、組合の上部機関の役員たちと論議し、下部組織の執行委員会において、この攻撃がどういうものであるのか、ということ、そして、職場の労働者たちにどういう問題が降りかかってくるのかを具体的に点検しよう、ということを提起して意志一致し、執行委員で分担して組合員たちと論議しなければならない。そして、わが党員は組合役員として、生起してくるであろうと推測される問題について集約し、そういう事態をくい止めるべきことを上部機関の役員と協議するとともに、当該の組合下部組織の組合員たちが労働者として所属している労働部門の管理者たちに、「労働者たちに犠牲を強いてはならない」ということを、具体的なかたちで問題を提起して、申し入れなければならない。

当該労働部門の管理者たちへのこの申し入れと協議は、「現場協議」とか「現場交渉」とかと呼ばれる。労働組合の下から声をあげて、会社経営陣に「団体交渉」をおこなう組合執行部に、組合員の利害を守るようにせまると同時に、わが党員が組合役員として、組合下部組織の執行委員会を牽引して、この「現場協議」＝「現場交渉」において力を発揮することが肝要なのである。労働組合と組合員たちの団結の力は、すなわちその階級としての力は、この労働の現場での「産業下士官」（マルクス）との対峙において、これを発揮することができるのであり、そして力としてしめされるのだからである。

わが党員は組合役員として、執行委員会において、このような闘いの諸実践を総括し、さまざまなイデオロギー的傾向をもつ執行委員たちを階級的にたかめ、強化していかなければならない。そして、この総括を組合員たちに提起して論議し、彼らに階級的自覚をうながしていかなければならない。

以上にのべてきたような諸活動については、わが党員の組織活動という角度から言えば、「わが党員が組合役員あるいは組合員としてくりひろげる活動」と呼ぶことができる。この活動の形態にかんしては、「わが党員が党員として展開する活動」とは明確に区別されなければならない。後者は、わが党員が党員として、機関紙や書籍を発行し販売するというかたちで、党独自の宣伝をおこない、新たな党員を獲得する、という活動の形態である。両者の活動の形態は立体的に把握されなければならない。党員は労働組合に所属しているならば、そこにおいては組合員である。その党員が組合運動の場面で党員として、党の利害と党派性を直接的に貫徹するならば、労働組合をひきまわすことになり、セクト主義という偏向をおかすことになるのである。他面、党員が党員として独自の活動を展開することをおろそかにするならば、組合運動に埋没してしまうことになるのである。

3

さらに、わが党員は、組合下部組織の執行委員や組合員のなかの先進的なメンバーたちを組織して、組合内左翼フラクションを創造しなければならない。わが党員は組合役員として、この左翼フラクションを実体的基礎とし、労働組合を主体として、そのときどきの組合の課題を実現するための組合運動を展開するのである。

わが党員は、執行委員会の会議や組合運動上のとりくみの前には、左翼フラクションの会議を開いて意志一致し、そしてそれらの後にも会議を開催して、この左翼フラクションとしてのとりくみとその諸成員の諸実践を総括して、生起した問題についてその根拠へとほりさげ、そのそれぞれのメンバーを思想的にたかめていかなければならない。それと同時に、わが党員は、この反省の論議において、マルクス主義の内容を積極的に提起して、これを理論的武器とし適用して反省をほりさげ、そのメンバーたちを思想的に変革して、彼らをマルクス主義者＝共産主義者へと鍛えあげていかなければならない。

組合内左翼フラクションを創造しそのメンバーを思想的に変革していく、というわが党員の活動は、「組合役員あるいは組合員であるにもかかわらず党員にふさわしい組織活動」ということができる。わが党員は、組合運動の場面において、組合役員あるいは組合員として活動するばかりではなく、組合役員あるいは組合員であるにもかかわらず党員にふさわしい組織活動をも展開しなければならないのである。

この意味において、わが党員の活動は、

1　わが党員が党員として遂行する活動

2　組合役員あるいは組合員であるにもかかわらず党員にふさわしい組織活動

3　わが党員が組合役員あるいは組合員として展開する活動

という三形態をとる、ということができるのである。

そして、このことは、われわれ主体の規定性が、われわれが実存している場所の物質的諸条件に規定されて転換する、ということにもとづくのであり、党員である私は、このことを自覚し、自分が活動する場所の物質的諸条件の分析に立脚して、自分自身の規定性を自覚的に転換するのである。

われわれは、1番目の活動と3番目の活動ばかりではなく、2番目の活動をふくめて、この三つの形態の活動のすべてを、自覚的に立体的に展開しなければならない。

二〇二三年五月一日

ボルディガと統一戦線戦術

山尾行平

一　ボルディガのコミンテルンへの面従腹背

一九二一年一月にリヴォルノで開かれたイタリア社会党（ＰＳＩ）第一七回大会において、ボルディガらの棄権派、グラムシらのオルディネ・ヌオーヴォ派および最大限綱領派（マッシマリスタ）左派は党を割り、イタリア共産党（ＰＣＩ）を結成した。その際に執行部の多数を占めたのは、すでに一九一九年からＰＳＩの中に全国的なフラクションをつくりだしていたボルディガ派であった。

このときレーニンは、ロシア革命にヨーロッパ各国でのプロレタリア革命が続くという展望を改め、これにもとづいて一九二一年六月のコミンテルン第三回大会では、「労働者階級の多数者を獲得」するために「共産党は、労働組合におけるその影響力を全面的に行使し、他の労働者政党への圧力を増大させることによって、プロレタリアートの直接的な利益のための共同闘争をかき立てなければならない」（コミンテルン第三回大会「戦術にかんするテーゼ」『コミンテルン資料集第一巻』大月書店、四三三〜四三四頁）、とされた。統一戦線戦術への転換である。これは諸政党が意見の相違にかかわらず共同行動をすべきものとして、一九二二年一月に定式化される。「プロレタリアートに支持される政党が、プロレタリアートの当面の緊急要求のために共同闘争を敢行する熱意をもっているかぎり、これらの諸党間の相違点は度外視して、諸党のすべてが統一戦線を結成することが、現下の情勢から要求されている。」(「統一戦線にかんする共産主義インターナショナル執行委員会・赤色労働組合インターナショナルの宣言」、河野穣『イタリア共産党史』新評論、四八頁より重引)

ボルディガはコミンテルン第三回大会を受け、一九二一年一〇月の論文において、一方では「共産党は、現時点で、プロレタリアートの統一の必要性と支配階級の経済的・政治的攻勢に対抗する必要性からプロレタリア統一戦線の提案を支持する」とコミンテルンの統一戦線戦術の指示を受け入れると表明しつつ、他方では「労働組合の統一と統一戦線」を「プロレタリア政党のブロックや諸政党との妥協と取り違えることは重大な誤解である」と本音をつづったのである(ボルディガ「統一戦線」一九二一年一〇月二八日、「イル・コムニスタ」)。

さらに、統一戦線戦術をコミンテルンがアピールした直後の一九二二年三月にローマで開催されたイタリア共産党第二回大会で提案された「ローマテーゼ」、ボルディガとテルラチーニが書いた「戦術にかんするテーゼ」では、統一戦線を労働組合場面に限定し、他の政党との政党間の同盟を否定する。「労働組合の統一戦線は労働者階級全体の共同行動の可能性を提供する」(ボルディガ、テルラチーニ「ローマテーゼ、戦術にかんするテーゼ」三六、一九二二年一月三〇日)。だから、「共産党は労働組合の場面でのプロレタリアートの統一戦線の実現を呼び起こすだろう。同時に社会民主主義政党への同盟の提案を避けるだけでなく、かれらは労働者の当面の利益さえも裏切っていると宣言するだろう」。そして、社会民主主義者やサンディカリストやアナキストの政党が労働組合の統一戦線を拒否する場合には、かれらの労働者への影響力を破壊するために諸政党の指導者が統一戦線を拒否したことを共産党は利用するのだ、とボルディガらはいうのである（同前、「戦術にかんするテーゼ」四〇）。

このようなボルディガらの対応について、コミンテルンは、イタリア共産党中央委員会あてのトロツキー執筆によるコミンテルン執行委員会幹部会名の文書で批判した。「イタリア共産党中央委員会は、第三六項において意識的にコミンテルンのテーゼに対抗して労働組合の統一戦線を擁護しながら、共産党の代表者と社会民主党の代表者とが一緒に入るような、闘争と宣伝の指導委員会を形成することには反対している。」しかし、「共産党には他の労働者政党とともにプロレタリアートの利益のための闘争を遂行する義務があるのだから、共同戦線の結成をそれらの諸党に迫らなければならない。こうしてはじめて共産党は、これらの諸党が闘争を恐れて統一戦線に参加するのを拒否した場合に、これらの諸党を暴露する可能性を得るのである。」（トロツキー「ローマテーゼについて」一九二二年三月）

統一戦線戦術に否定的であり統一戦線を労働組合のそれに限定したボルディガらの党執行部は、だからといって積極的に労働組合の共同闘争を呼びかけたわけではなかった。一九二〇年九月の工場占拠闘争の敗北後、ファシストによる労働者組織への攻撃が激化するなかで結成された統一戦線とよびうるものには、一九二一年に各地で組織された反ファシズムの武装組織である人民突撃隊（アルディティ・デル・ポポロ）と一九二二年七月に諸労働組合が連合した労働同盟（アリアンツア・デル・ラヴォロ）がある。しかし、ボルディガは、前者について「社会民主主義的な似非反ファシズムの裏切り」（ボルディガ「プロレタリア防衛」一九二二年三月四日、「イル・コムニスタ」）の危険を理由に党員の参加を禁止した。また、アナルコ・サンディカリスト系の鉄道組合のイニシアティブで成立した後者についても共産党は組織的取り組みをおこなわず、八月の全国ゼネストの失敗とファシストの攻撃によってそれが崩壊するのを座視したのである。トロツキーは一九二一年から一九二二年のイタリア共産党を「ファシズムがどれぐらい危険であるかを理解せず、革命的幻想を抱いて、統一戦線戦術に断固として反対していた。要するに、イタリア共産党はあらゆる左翼小児病にかかっていた。」（トロツキー『次は何か』第七章「イタリアの経験の教訓」）と批判している。

二　統一戦線戦術をめぐる問題点

1　統一戦線をだれに呼びかけるのか

右に述べたように、コミンテルンは統一戦線戦術を、一九二二年一月一日づけの「宣言」において、「プロレタリアートに支持されるすべての政党の統一戦線」を結成することが現情勢によって要求されているのだと定式化した。そしてコミンテルン執行委員会は「すべての党のプロレタリアートに対して」、その所属する党に共同行動を受け入れさせるために全力をあげることを呼びかけたのであった。

だが、このような定式化に問題はなかったか。相違点をのりこえて共同闘争を追求するという統一戦線の目的は理解できる。しかし、統一戦線を呼びかけるのも呼びかけられるのも諸政党であり、ファシストによる物理的攻撃から労働者を防衛するための大衆団体や賃金引き下げや首切り攻撃を粉砕するための労働組合などが統一戦線の主体とされているわけではないのである。言い換えれば、コミンテルンのいう統一戦線は共産党のイニシアティブのもとでのプロレタリア諸政党間のブロックであり、これでは相違点の克服も共同闘争の拡がりもはじめから限界づけられよう。実際コミンテルンの提案を受けたイタリア共産党のボルディガ執行部の反応、政党のブロックを拒否するというそれは、この問題点をついたものであったといえる。

この時点でのイタリア共産党（ボルディガ）とコミンテルン（トロツキー）の主張においては、統一戦線を、共産党が他の諸政党に呼びかけるものとして理解する、という点では対立はない。ただし、トロツキーは一〇年後には、「党は大衆だけに呼びかけるのではなく、大衆によってその指導権が承認されている組織にも呼びかけを行う」（『次は何か』）というように、呼びかけの主な対象を「大衆」に変えている。また、レーニンも、ソヴィエトを樹立したあとでは「メンシェヴィキやエス・エルのような党に呼びかけることを、統一戦線が要求するようなことはありえなくなる。」ソヴィエト権力のもとでは諸政党に呼びかけるのではなく労働者大衆に影響力を拡大するのだ、とする。（レーニン「ロシア共産党（ボ）のコミンテルン派遣代表団の活動報告についての決議案への提案」『レーニン全集第四二巻』大月書店、五七一～五七二頁）

実際、党が他の労働者党に統一戦線を呼びかけることをとおして、各党の代表者からなる「指導委員会」とか「扇動委員会」という党派横断的な執行機関をつくるというのは非現実的ではないだろうか。私はいま、自分が学生戦線にいた当時のことを思い出す。党派活動家が他党派活動家に一緒に学費値上げ反対の闘争機関をつくろうと提案しても、だれがおまえらなんかと一緒にやるか、そんなことしたらおれたちが潰されるだけだ、と拒絶されるに決まっていた。だから、統一戦線の呼びかけは党派から党派へではなく、労働組合に所属する党員の労働組合員としての活動を通じて、労働者団体から他の労働者団体とその成員へ呼びかけるのが適切だと考える。

2　統一戦線は「改良主義を暴露するためのマヌーバー」なのか

統一戦線を他の諸政党に呼びかけることをとおして、それらの政党から統一戦線への参加の拒否を引き出し、そのことをもって諸政党の指導部の反プロレタリア性を暴露し、かれらの影響下にあった労働者の多数を獲得するという「組織戦術」は、何もボルディガやトロツキーだけではなく、ボルディガらを執行部から排除したあとのグラムシとトリアッティによる一九二六年の「リヨンテーゼ」にも、より緻密化したかたちで受け継がれている。「党は、勤労者大衆が集まっているすべての組織に入りこみ、……労働組合とすべての大衆団体のなかでフラクションを組織」し「大衆的基礎をもつ、プロレタリア的革命的と自称する党と集団の仮面をあばく使命」をもつような「統一戦線戦術」を展開するのだ、と（「リヨンテーゼ」三四〜四四、『グラムシ問題別選集4　ファシズムと共産主義』現代の理論社、二五六〜二六六頁）。

そしてこれらの原型は、統一戦線戦術への転換を主導したコミンテルン第三回大会のレーニンやジノヴィエフにもとめられる。レーニンは「統一戦線戦術はわれわれが第二および第二半インターナショナルの指導者たちを打ち倒す助けになる」といい、ジノヴィエフは統一戦線戦術を「極めてデリケートなマヌーバー」と形容したという。（五十嵐仁「コミンテルン初期における統一戦線政策の形成」、法政大学社会学部学会『社会労働研究』二四巻一－二号）

もちろん、統一戦線を結成する過程において、われわれは、改良主義者を断固として批判するとともにフラクション活動を縦横に展開するというかたちでのイデオロギー的＝組織的たたかいに取り組むのであるが、このたたかいはファシストの襲撃を粉砕するといった統一戦線の直接的な目的を達成することとの統一においてなされなければならない。ファシストからの襲撃と権力の弾圧で緊迫した当時のイタリアの情勢のもとでは、マヌーバー戦術をうんぬんできるような余裕はなかったであろう。それでも、確認しよう。われわれは統一戦線を結成するたたかいに組織戦術を貫徹するのだが、それは改良主義者をわなにはめることではない。

三　宙に浮いたソヴィエト——ボルディィガ革命論の問題性

1　統一戦線とソヴィエトの切断

再度、統一戦線をめぐるコミンテルンとボルディィガの対立について、何が問題なのか考えなければならない。党が主体となって他の党との同盟ないし連合体として統一戦線を結成する場合、あるいは党派的に分断されていた諸労働団体が党からの呼びかけのもとに組織的に提携する場合、そのような統一戦線をいかにして「統一戦線の最高の形態」（トロツキー）たる労働者評議会（ソヴィエト）へ発展させうるのかが問われよう。にもかかわらず、ボルディガは統一戦線とソヴィエトの関係に無頓着にみえる。たとえば、ボルディガらは、一九二一年二月に党中央委員会名で出した武装蜂起の計画にかんする回覧文書のなかで、他党派系の団体とも「教義上の分裂をこえて行動上の統一戦線をはる」（一九二一年二月、回覧文書〇六「実践的指示」）と書いていながら、それと全く無関係にブルジョア議会の解散と中央ソヴィエトの展望を同じ文書のなかで論じているのである。ボルディガらには統一戦線戦術によってつくりだした統一戦線をソヴィエトに発展させるという問題意識はないのである。そのようになる根拠は、ボルディガにとってソヴィエトは工場評議会などを通じて下から積み上げるかたちで、組織されるものではなく、地区ソヴィエトとして直接形成されるものと考えられていることにある。かれは「プロレタリア権力は工場評議会や工場委員会を経由することなく、町や国の自治体ソヴィエトの内部で直接形成される」（ボルディガ「イタリアにおける労働者評議会の設立に向けて」、「イル・ソヴィエト」一九二〇年一〜二月）とする。そのモデルとなっているのは、一九一七年のロシア二月革命で帝政が崩壊した直後に国会議員らによる選挙で組織された臨時ソヴィエト執行委員会なのである。そこでは、先に中央ソヴィエトがつくられ、後から各地の地区ソヴィエトが組織されたのであった。

2　ソヴィエトの位置づけ

ボルディガは、ジノヴィエフやニッコリーニにならって、「労働者、農民および兵士の評議会であるソヴィエトはブルジョア国家権力打倒後の権力行使においてプロレタリアートの代表がとる形態」とし、それは本質的に革命闘争の機関ではないという。だから、ブルジョア国家権力がつづいているあいだ、勝利したプロレタリアートの国家機関であるソヴィエトがプロレタリアートの革命闘争の機関となりうるのは、それが「党が遂行する革命闘争にとって適切な領域」を形成する「特定の段階」に限られる、とされるのである（ボルディガ前掲論文）。その特定の段階とは「ブルジョア国家権力が深刻な危機に陥り、プロレタリアートの間に権力を掌握する傾向が広まっている」段階である。（「ＰＳＩの共産主義棄権派のＣＣが提案した労働者評議会の設立にかんする論文」、一九二〇年四月一一日「イル・ソヴィエト」）

ボルディガは「ブルジョア権力が存在する限り、革命闘争の機関は階級政党である。」そして、ソヴィエトは「革命の形式であって、原因ではない。」（ボルディガ前掲論文）という。ソヴィエトはかならずしもプロレタリア革命闘争の実体的基礎をなすわけではなく、主客の諸条件次第で革命闘争の機関たる党が利用しうる場合もあるということになる。

ボルディガもプロレタリアートが党を手段として革命を成し遂げるといっているのであるからして、革命闘争の機関は党であるということが、革命の主体が党であるということを意味しているわけではない。問題はあくまでかれによるソヴィエトの位置づけである。ボルディガがイメージするソヴィエトは、条件しだいで革命闘争の機関になったりする〈たまたまソヴィエト〉であり、あまりに軽いのだ。われわれにとって、ソヴィエトは革命の主体であるプロレタリアートが自己を階級として組織した形態であり、到達点であって、それはまさに革命闘争の機関として、前衛党の指導のもとにみずからをプロレタリアート独裁権力にたかめるのである。プロレタリアートの階級的自己組織化の終着点であるソヴィエトは、工場評議会や産別評議会、地区ソヴィエトや都市ソヴィエトの組織化に裏付けられるのであり、ブルジョア権力崩壊の際にたまたまブルジョア議会の議員であった労働者たちによって執行委員会が選ばれるようなものではないし、あるいはレーニンが一九〇五年のペテルブルグソヴィエトについて論じたような、ボリシェヴィキ、メンシェヴィキ、エス・エルの三党派の連合による「戦闘組織」でもありえない。

ボルディガにとっては、ソヴィエトの組織化は革命闘争にとって不可欠の条件ではなく、プロレタリアートが権力を奪取することこそが問題なのである。もちろんプロレタリアート独裁権力樹立後には、その執行機関としてソヴィエトは設立されることになるのだが。かれは一九七〇年のインタヴューで一九二〇年の工場占拠闘争の際に、「ゼネスト宣言後にプロレタリアートの政治的独裁を達成できる総反乱を扇動するために労働者部隊は州庁舎や警察本部を攻撃すべきであった。」と語った。かれにとって革命は、ゼネスト→党による武装蜂起であり、ソヴィエトは偶然的要素にすぎないのである。

3　ソヴィエト結成の時期はいつか

イタリアで階級闘争がもっとも高揚した「赤い二年間」のさなかの一九二〇年一月、イタリア社会党全国評議会において、最大限綱領派のボンバッチは「イタリアにおけるソヴィエト設立の計画」（ボンバッチプロジェクト）を発表した。これをきっかけにPSIのなかで活発な論争がまきおこったのである。ボンバッチ、ジェンナーリらの最大限綱領派は革命闘争の機関としてソヴィエトの即時設立を主張し、オルディネ・ヌオーヴォ派のグラムシ、トリアッティらは工場評議会をソヴィエトの萌芽としておしだした。これら二派に対して、ソヴィエトの即時設立を否定し、ブルジョア国家権力打倒前の工場評議会がソヴィエトたりえないことを論じたのが、棄権派のボルディガ、およびコミンテルンからイタリアに派遣されていたニッコリーニである。

（註）これらの諸論文はイタリアの研究者スティーブン・フォルティの論文「すべての権力をソヴィエトに！　赤い二年間のイタリア社会主義におけるソヴィエト設立にかんする議論：諸文書の批判的読解」のなかに収録されている。（https://storicamente.org/sites/default/images/articles/media/804/forti.pdf）

ボンバッチについて補足する。イタリア共産党結成とともに中央委員となったが、のちに除名されムッソリーニに接近。最後はムッソリーニらとともに銃殺された。

論争の中心点は、プロレタリア革命が先か、ソヴィエト設立が先かであった。したがって、問題は、ソヴィエトを革命闘争の機関として位置付けるか否かということでもあった。革命闘争の機関は階級政党であり、ソヴィエトは本質的に革命闘争の機関ではなく、条件によっては革命闘争にかかわりうるとするボルディガは、ソヴィエトの即時設立を否定し、その設立はブルジョア国家権力が崩壊する瞬間とする。例外的に革命前にソヴィエトが組織される場合について、「労働者評議会はプロレタリアの反乱の瞬間に生じるが、ブルジョアジーの権力が深刻な危機と歴史認識を経験し、権力を掌握する傾向がプロレタリアに広まっている歴史的瞬間にも生じる可能性がある」（「PSIの共産主義棄権派のCCが提案した労働者評議会の設立にかんする論文」、一九二〇年四月一一日、「イル・ソヴィエト」）。いいかえると、ソヴィエトは武装蜂起によるブルジョア国家権力打倒の瞬間に組織されるが、革命情勢においても生じうるということである。（「生じる」という語は、プロレタリアートによるソヴィエトの主体的な目的意識的組織化にふさわしくないが、Google翻訳のせいかもしれない。）だから、ボルディガらにとっては、「革命の問題は評議会の正式な設立にあるのではなく、政治権力が評議会の手に渡されることにある」（同前）。

コミンテルンは一九二〇年にソヴィエト設立の前提条件として三項目をあげている。第一に「労働者男女、兵士、勤労者一般の最も広い範囲における革命的高揚」、第二に「権力が既存の政府の手から滑り落ち始めるような経済的および政治的危機の激化」、第三に「党によって組織されたプロレタリアートにおいて、断固とした組織的かつ計画的な革命闘争に取り組むという決意が成熟していること」である（「労働者評議会の設立条件にかんする第三インターナショナルの論文」、一九二〇年、『国際社会主義』）。ボルディガとニッコリーニもこの見解に依拠しているようである。武装蜂起の前後の幅はあるが、ソヴィエトの組織化は革命情勢であることを条件になされる。「革命がなければソヴィエトは不可能である。プロレタリア革命のないソヴィエトは必然的にソヴィエトのパロディになる。」（同前）

4　職場評議会とソヴィエト

われわれは、ボルディガにあっては切断されたままになっている統一戦線とソヴィエトをつなげるかたちで理論的に解明しなければならない。では、われわれは、「革命情勢ないし前革命情勢における前衛党の組織的闘いをつうじてのソヴィエトの創造とこのソヴィエトを主体としての革命闘争の主体的推進構造」（葉室真郷「革命実践論としての革命理論」『スターリン主義の超克2』こぶし書房、五五頁）をどのように解明すべきか。「わが前衛党は統一戦線戦術の適用によって革命的統一戦線を創出することを基礎として、革命情勢が成熟するという条件のもとでは、創出されている統一戦線を基礎にしつつ現存ブルジョア国家を打倒するための革命組織＝ソヴィエトを広範かつ強固につくりだすためにたたかう」（同前）のである。

トロツキーは一九三一年に「工場委員会は、労働者階級の統一戦線を実現している。……工場委員会のある都市全体の中央機関は、十分に都市ソヴィエトとしての役割を果たすことができる。」（トロツキー「生産の労働者統制について」、一九三一年八月）と、統一戦線（工場委員会）とソヴィエトの有機的結合を論じた。さらにトロツキーは、ソヴィエトが革命闘争の機関になりうるという。「ブルジョア国家の瓦解がプロレタリア革命よりずっと前に生じるなら、そしてファシズムが、プロレタリアートの蜂起以前に崩壊ないし瓦解するとしたら、その場合には、権力闘争の機関としてのソヴィエトが結成される条件が形成されることになるだろう。」（同前）権力の空白状態が生まれた場合には、プロレタリアートはただちにソヴィエトを組織し、ソヴィエトがブルジョア国家権力の残党およびファシストの予備軍による反革命を粉砕しなければならないのである。

（註）同じパラグラフのなかで、トロツキーは、ブルジョア国家権力の崩壊という条件をあらかじめ考慮に入れることは不可能だから、「工場委員会を通じる道の方が、ソヴィエトを通じた道よりも、はるかに実現の可能性がある」（同前）と論じている。この展開はおもしろい。「ソヴィエトを通じた道」という場合のソヴィエトは、工場委員会は創造されずに、居住区である地区の労働者たちがその代議員を選出して創造される地区ソヴィエトをさす、と考えることができる。

革命情勢における最初の統一戦線は職場評議会である。そして、統一戦線たる職場評議会を基底として、われわれはソヴィエトを創造する。その場合、ソヴィエトの創造と切り離されそれの基底にはならなかった一九一七年ロシア革命時の工場委員会、ソヴィエトの萌芽と位置付けられながらも国家権力を奪取する闘争から相対的に自立化されるかたちで闘われたグラムシらの工場評議会、それらに相当する職場評議会をソヴィエトの基底をなすものとしてわれわれは創造するのである。われわれは、それによる工場（職場）の生産諸手段の経営者からの奪取と生産の労働者による管理を、プロレタリア国家権力の樹立との統一において実現するのである。

われわれは、ソヴィエトの基底たる職場評議会を、「すでにつくりだし強化してきている、党細胞と革命的フラクションおよび左翼フラクションを実体的基礎として」（「二一世紀現代においてプロレタリア革命を実現するために」『コロナ危機、これとどう闘うか』創造ブックス、二六三頁）創造するのである。そして、われわれがイニシアティブをとるかたちで、地区の産業別ソヴィエトの代議員および地区ソヴィエトの代議員を選出する。

これら諸点のより具体的な解明は、すでに「グラムシとボルディガの対立をどのように止揚すべきなのか」(「北井信弘のブログ」二〇二三年七月一一日)でなされている。

ここから先は稿を改めなければならない。

二〇二三年八月五日

「民族自決」原理をのりこえるために——祖国防衛主義の超克

浜中大樹

一　二〇二二年の冬

二〇二二年の運動を締めくくる「一二・四革共同政治集会」において、全国から動員した組織成員に何がしかの確信を注入するという重責を担った「革マル派」中央官僚・平川桂は、壇上から次のように叫んだのだという——「プーチンは冬の寒さを武器にして「第二のホロドモール」を行っているのです。われわれの怒りはいやがうえにも高まるではありませんか」、と(『解放』第二七四九号)。参加者たちは一斉に賛意の声をあげたそうだが、なるほど彼女のこの言辞には、二〇二二年の「革マル派」によるウクライナ「反戦」闘争の内実が凝縮されている。ゼレンスキー政権を尻押しするのみならず、西側帝国主義に対して一層積極的な武器供与を迫るほどまでに反プロレタリア的な排外主義へと転落したのがこの間の中央官僚派だったが、これを批判するわが探究派のイデオロギー闘争に対して平川は、ウクライナのブルジョア民族主義を断固として支持するという仕方で一応はスジを通したのだと言えよう。

東ヨーロッパの冬は暗く厳しい。暖房がなくてはすぐに心身の健康を害するほどであるのに、プーチン政権は、まさにインフラ設備に攻撃を集中させることによってウクライナ人民の精神を挫き、自らの劣勢を挽回しようと足掻いているのだ。それは卑劣極まりない企てである。だからと言ってそのことを、仮にも反スターリン主義運動を名乗る者たちが「第二のホロドモール」などと言っていい訳がない。

「ホロドモール」とは、ソ連邦崩壊後に独立したウクライナ国家のブルジョア・イデオロギーに根ざす独特な用語である。それはすなわち、革命ロシア建設の過程でボリシェヴィキが実行した穀物徴発をあえて一九三〇年代のスターリンによる富農絶滅政策と二重写しにした上で、この二つをウクライナ「民族」全般に対する〝飢餓によるホロコースト〟だと特徴づけるための、反共主義的な言辞に他ならない（注1）。欧州議会は一二月一五日、「ホロドモール」がひとつのジェノサイドだったと「認定」する決議を採択した（注2）。この欧米ブルジョアジーと全く同じ水準にあるのが、「革マル派」中央官僚の唱える「反スタ」なのである。

平川報告に先立つ一〇月、中央官僚派は『解放』紙上に「プーチンの大ロシア主義――領土強奪戦争のイデオロギー」と題する駄文を掲載していた（第二七四〇－四一号、『新世紀』三二二号に再録）。その筆者・早瀬光朔を名乗る中央官僚がご丁寧にもそこで明らかにしてくれたのは、「革マル派」がウクライナ民族主義を支持するためにどれほど矮小な「理論的」基礎づけに勤しんだかの、苦笑を誘うほどの精神的惨状である。それに対するわれわれからの根本的な批判としては、同志松代がすでに発表している一連の諸論考を参照していただきたい。その成果を基礎として本稿が明らかにしようとするのは、民族問題についてレーニンそして黒田寛一が克服すべくしてなお克服しえていなかった理論的限界であり、またその限界を早瀬論文が積極的に利用しているという許し難い事実である。

（注1）飢饉を意味する「ホロド」と疫病・災厄を意味する「モール」をつなげたこの造語が、ウクライナ「民族」を標的にしたソ連政府による「ジェノサイド」をあらわす政治的な用語として使われるようになったのは、一九五〇年代のアメリカにおいてである。しかしソ連邦内の大規模な飢饉は二〇年代でも三〇年代でもウクライナのみならずロシア南部やカザフ共和国でも発生していたのであり、それを敢えて民族としてのウクライナ人のみを標的にした飢餓政策であるとみなすのは、特定の政治的意図に基づく歪曲である。

（注2）
https://www.europarl.europa.eu/news/en/press-room/20221209IPR64427/holodomor-parliament-recognises-soviet-starvation-of-ukrainians-as-genocide

二　祖国防衛主義への転落

1　エスニシティとネイション——早瀬のすりかえ

早瀬の主張は、おおよそ次の二点に集約される。

（一）ウクライナ人は、ロシア帝国の時代以来ずっと抑圧されてきた存在であり、かれらの「民族的独立」要求は正当である。プーチンは「ロシア人とウクライナ人との歴史的一体性」を主張するが、二つの「エスニシティ」の混淆はロシアによって強制されてきたものだ。ウクライナをはじめとする連邦内の非ロシア諸民族にたいして苛烈な「ロシア化」政策を貫徹したスターリンの「末裔」、「現代のツァーリ」こそがプーチンである。

（二）これに対して「レーニンとボルシェヴィキ」は「分離ののちの連邦制」という原則に立脚して、「ウクライナにおける「民族革命」と「労農革命」を、――労働者階級の国際的な階級的団結を基礎にして――ウクライナ労働者・人民の「自己決定」にもとづき遂行すべきことを一貫して主張したのだ」。レーニンは、「独立した民族国家を単純に否定するズンドウの「世界革命」なるものをめざしていたわけではまったくない」。

このように早瀬は、ウクライナとロシアの対立が「エスニシティ」の差異に由来すること、そしてレーニン自身が「民族革命」の段階を承認して「分離ののちの結合」を唱えていたこと、この二点を主張することによって、「革マル派」の祖国防衛主義を正当化し、より高次の〈中央官僚派ナショナリズム〉へと押し上げたのである（注3）。

（注3）松代秀樹「「プロレタリア革命＝民族独立」という解釈――〈中央官僚派ナショナリズム〉の完成」、『探究派公式ブログ』二〇二二年一二月九日付。

今の時点からかえりみるならば、この戦争が始まって当初の「革マル派」は、ウクライナ民族主義を肯定することに一定の躊躇を表明していたことがわかる。例えば二〇二二年四月三日の中央学生組織委員会（SOB）論文は、防衛戦争に動員されたウクライナ労働者階級の意識について「たとえそれがたんなる「反戦・反プーチン」意識に・しかも永い歴史のなかで心の中に刻みこまれた民族意識にもとづくものであるのだとしても」、「このウクライナ労働者・人民の立場にわが身を移しいれること」が大事である、と述べていた（『新世紀』三一九号）。またこれに続く五月一一日付の中央労働者組織委員会（WOB）論文は、ウクライナ人民が「対ロシアの戦争を断固戦うことは、レーニン流に言うならばまさしく「ただしい戦争」なのである」と述べつつも（注4）、「ウクライナの労働者・人民のなかにあるナショナールな意識は、即否定できるわけではない」などと及び腰の一文を加えていたのだった（『新世紀』三二〇号）。これらの表現にあらわれている少しばかりのためらいを最終的に取り払うことが、早瀬論文の狙いなのだ。

（注4）レーニンの文章から「ただしい戦争」なる文言を引いてきた「革マル派」の手法が詐欺師まがいのものであることについては、『探究派公式ブログ』掲載の山尾行平論文「レーニン「正義の戦争」論の政治利用」（一一月一一日付）を参照されたい。

こう把握した上で、早瀬の論理展開を詳しく確認してみよう。問題を集約的に示すのは次の箇所である。

「ウクライナ人は、たしかに一九一七年のロシア十月革命のときまで国家としての民族的独立をなしえなかった。それは、ロシア帝国が、ウクライナのエスニシティを、十八世紀末のいわゆるポーランド分割以降にみずからのもとに組み込み従属させてきたからであって、ロシア人とウクライナ人が「ひとつの民族」であるからではない。〔…〕そもそも現代に生きるウクライナ人にとっての「ロシア」とは、スターリンのソ連邦からプーチンのロシア連邦まで〝地続き〟で感取されているところの「圧政者としてのロシア」にほかならない。〔…〕

千年前まで遡って〝同族〟たることを強弁したり、二つのエスニシティの交流と混淆の歴史――それじたいがロシアが強制してきたものだ――をあげつらったりしても〔…〕ウクライナ人にとっては〔…〕怒りの火に油を注ぐだけなのである〔「エスニシティ」という用語については、黒田寛一『社会の弁証法』こぶし書房刊二八四頁〔…〕を参照せよ。〕」(『新世紀』三三二号、一〇〇頁)

このように早瀬論文は、『社会の弁証法』から「エスニシティ」の概念を持ち出してきたことをひとつの特徴としている。しかし注意深い読者ならすぐに気づくことだろうが、早瀬の文章では「ウクライナ人」が、「民族」であると同時に一個の「エスニシティ」をなす集団として規定されている。一見すると理論的な混乱であるかにも見えるこの記述は、早瀬の理論的無能力よりは、むしろ中央官僚派に共有される政治的意図に由来するものであろう。

早瀬は、ネイションとエスニシティの概念的区別を曖昧にしておいた上で、ウクライナとロシアとの対立が近代国家以前の二つの「エスニシティ」間の対立に由来するものであると主張する。これは奇妙な概念操作であるが、しかしこの操作によって、ウクライナの「民族としてのアイデンティティ」(一〇〇頁)あるいは「強烈な「反ロシア」のメンタリティ」(一〇一頁)だとかを超歴史化して肯定することが可能となるのだ。実際には「民族」の概念と結びついているものを、早瀬はあえて「エスニシティ」に結びつけることで、ウクライナ民族主義がひとつのナショナリズムであることをぼやかしている。ロシアのエスニシティとウクライナのエスニシティとが互いに異質的で元々対立的な関係にあるものと描出しておけば、今日のウクライナ民族主義を超歴史化し、そのブルジョア・イデオロギーとしての本質を隠蔽できるというわけだ。これは、故・同志黒田寛一によって定式化された「エスニシティ」概念の公然たる破壊にほかならない。

2 黒田寛一『社会の弁証法』の再検討

せっかく早瀬自身が参照を指示してくれているのだから、黒田寛一『社会の弁証法』を紐解いてみよう。該当箇所たる一一四節では、国家の本質論的な把握を踏まえて「国家意志」の歴史的諸形態が論じられ、前近代の絶対主義国家から近代ブルジョア国家、そして過渡期の労働者国家についての比較的長い注記が付け加えられている。この本文・注記は以前のヴァージョンである『社会観の探究』(初版一九五六年)から基本的に変更されていないが、早瀬が言及している――卑怯にも、文を引用はしていない――のは、一九九四年新版において新しく書き下ろされた「＊＊」部分である。そこで黒田は次のように述べている。

「民族とは、近代ブルジョア国家の形成と同時的に成立したところの、この国家の領土に住まう人びと(支配階級および被支配階級として規定されるいぜんの近代的市民のこと)が受け取る歴史的規定です。この近代ブルジョア国家のもとに包括された一つまたは多くの民族は、この国家の「国民」という規定を受けとります。

近代国家の成立いぜんに存在していたエスニシティ、すなわち、それぞれの地理的・気候的な諸条件に決定された一定の地域において、特定の人種・言葉・文化・宗教（自然宗教をふくむ）・生活様式を共有するところの集団としてのエスニック・グループ、——そのいくつかがブルジョア的に統合されることによって創造された歴史的産物が、民族（ネイション）なのです。

いいかえれば、基本的には、特定の地域において、それぞれ同一の人種・言葉・伝承文化・生活慣習にもとづいてつくりだされた種族または部族をば、または近代的ネイション・ステイトの内部に存在する少数民族をば、ブルジョア的近代以降に成立したネイション・ステイト（民族国家または国民国家）の観点から規定しなおした概念、これがエスニシティまたはエスニック集団であるといえるでしょう。」（『社会の弁証法』こぶし書房 一九九四年、二八四頁）

このように黒田は引用の前半部において、「民族」（nation）が近代ブルジョア国家の成員＝「国民」たるの歴史的規定と不可分な概念であることを踏まえた上で、後半部では、言語や生活習慣を共有する諸グループそれぞれの文化的固有性が直接的にブルジョア国家の構成原理＝ナショナリティへと直接的に転じるのではないこと、これを示すためにこそ「エスニシティ」（ethnicity）の概念を導入した。着目するべきは、ここで黒田がエスニシティを「ネイション・ステイト（民族国家または国民国家）の観点から規定しなおした概念」として強調した点である。つまりエスニシティとはあくまで、ブルジョアジーが自らの特殊利害を普遍的利害であるかのように仮構するにあたって用いる「ナショナリティ」（国民性、民族性）に対して、それと鋭く対立する概念として把握されているのだ。これに対して早瀬は、『社会の弁証法』の叙述のうち前半部、「[…]エスニック・グループ、——そのいくつかがブルジョア的に統合されることによって創造された歴史的産物が、民族（ネイション）」だという部分のみを利用して、後半部の「ブルジョア的近代以降に成立したネイション・ステイト（民族国家または国民国家）の観点から規定しなおした概念、これがエスニシティまたはエスニック集団である」という把握を完全に切り捨てている（注5）。

（注5）「エスニシティ」をめぐる黒田の叙述を前半部と後半部との統一において理解するべきことについては、『探究派公式ブログ』掲載の松代秀樹論文「エスニシティ概念の超歴史化的解釈」（二〇二二年　二月七日付）を参照のこと。

早瀬のそうした恣意的な解釈は、ロシア人によるウクライナ人に対する一貫した抑圧の関係を描き出したいという彼の願望と無縁ではないだろう。たしかに、黒海北岸の荒野で一六世紀頃に成立したコサック共同体としての「ウクライナ」は女帝エカチェリーナ二世によって解体され（一七七五年）、ロシア帝国に併呑されたという経緯がある。草原地域の遊牧騎馬集団らしく、自由と平等をモットーとし、共同体の全成員による「ラーダ」が共同体の指導者たる「ヘーチマン」を選出するというのが、この解体された「ヘーチマンシチナ」（国家）であった（注6）。ロシアのピョートル大帝に叛旗を翻しながらも敗北し失意の内に没した指導者イヴァン・マゼーパ（一六三九―一七〇九年）は、様々な伝承・文学作品の素材となっている。帝政ロシアに対するウクライナのこうした過去の対立は、「エスニシティ」次元の事柄に属するものだと理解してもさしあたりは構わない。

（注6）一九一七年のロシア二月革命を受けて左右のウクライナ民族主義者が合同で結成した「中央ラーダ」の名には、ヘーチマン国家におけるラーダを継承すること、そして「ソヴィエト」に対抗すること、この二つの意図が込められている。

しかしながら問題は、近代以後のウクライナ民族主義者らが、解体されたヘーチマン国家としてのウクライナを自らの精神的故郷に仕立て上げていることである。「ウクライナ人民共和国」が採択した国歌——現在のウクライナもそれを受け継いでいる——には、「我らはコサックの一族」との一節があるし、また右に述べたイヴァン・マゼーパの名は、昨今ウクライナ軍がトルコから調達した軍艦の名称として利用されている。ウクライナを、帝政ロシアないしはソ連邦から独立した近代国家として建設するブルジョアジーは、近代以前のヘーチマン国家としての「ウクライナ」から特定の物語（イストワール）を引き出すことによって、超階級的な〈民族〉という幻想的な共同性を構成したのだと言うことができる。エスニシティなるものが歴史的に先行してそこからネイションが自然と形成されるのではない。その逆であって、ネイションの形成と成立の時点からナショナリティの素材となったものが何であるのかを捉え返した時に、エスニシティの特定の要素がそこで選別されていたことがわかるのだ。だから、ネイションを構築する側にとっては都合の悪いエスニックな諸要素が歴史＝物語から排除されるのも当然のことである。早瀬を含めて、ウクライナ民族主義を唱える者が、中世後期まではロシアとウクライナとベラルーシの人々が同じキエフ大公国の支配下で区別なく同居していたことについて語りたがらないのは、右のような理由による。

3　ユーゴ反戦闘争の理論的教訓を再主体化しよう

旧版『社会観の探究』ではもともとスターリンの民族理論が素朴に紹介されていただけだったのに比して、黒田は明らかに九〇年代以降のユーゴスラヴィア内戦をめぐる理論闘争の総括を意識して、「エスニシティ」論を付け加えた。当時、欧米のトロツキスト諸派は〈被抑圧民族の自決権無条件支持〉を金科玉条として掲げ、そのことによって理論的にも実践的にも大混乱に陥っていた。かれらは、旧ユーゴ連邦の維持を目指したセルビア共和国政府を抑圧者＝悪とみなし、セルビア側による「浄化」の対象となったアルバニア人やボスニアのムスリム人、クロアチア人ら「被抑圧者」との無条件的な連帯を掲げたことによって、結局はアメリカ・西欧諸国による旧ユーゴへの「人道的介入」＝帝国主義的侵略戦争を支持するに至った。今日の「革マル派」がこれとまさしく同じ道を辿っているのは言うまでもない。

だが現実には、クロアチア共和国の領土内に居住するセルビア人集団はクロアチア側による凄惨な「浄化」の対象であったし、あるいはアルバニア人とセルビア人とを両親にもつような人が、いずれの「民族」にも帰属しない「ユーゴ人」と名乗るような事例はざらにある。そのようにして血縁も言語も生活習慣も複雑に絡み合っている「ユーゴスラヴィア」を敢えて引き裂き、連邦内各共和国における自らの地方的支配を維持すること、これこそが新生ブルジョア共和国の支配階級となった旧スターリニスト官僚らの利害関心であった。彼らは、錯綜する諸エスニシティの関係性を分断して単純化することによって、諸エスニック集団間の差異を「民族」間の非和解的な対立にまでエスカレートさせた。「民族」を所与のものとして超歴史化し、どのグループが抑圧者または被抑圧者か、と眺めまわしている限り、この〈エスノ・ナショナリズムの相互衝突〉を突破する主体的な力を創造することは不可能である。『社会の弁証法』において黒田が新たに「エスニシティ」についての叙述を付加したのは、こういう問題意識があったはずだ。

まさしくショービニズムの基礎づけとも言うべき早瀬論文は、黒田の本のみならず、ユーゴ反戦闘争をめぐる反スターリン主義諸理論の成果をも踏みにじるものだ。かつて〈被抑圧民族の自決権無条件支持〉を叫んでいたトロツキスト諸派に対するイデオロギー闘争を牽引していた酒田誠一は、今の「革マル派」の堕落に何を思うのか。一九九四年時点での彼の次のような論理展開にも学びつつ、われわれはウクライナ反戦闘争の理論的武器をさらに鍛え上げるのでなければならない。

「近代ブルジョア国家とともに形成されたネイションとこのネイションに統合されたりされなかったりしたいくつかのエスニック・グループ、②さらに帝国主義段階におけるネイション・ステイツとエスニック・グループスの形態変化、③ロシア革命を指導したボルシェヴィキが階級の根絶とネイション・ステイトの止揚をめざし、かつ、エスニック・グループスの諸問題をも「分離ののちの結合」という原則にのっとって解決しようとしたこと、④それにもかかわらずそのことがスターリン主義的に歪められ、エスニック・グループスが反中央政府の意識をもって残存したこと、⑤このゆえにソ連邦崩壊後の今日、ネイションとエスニック・グループの問題が新たなかたちで浮かびあがっていること。――これらのいっさいの理論問題を追求しないだけではなく問題の所在さえ自覚できないがゆえに、全世界のトロツキストたちは、「民族自決権」をバカのひとつ覚えのようにくりかえすことしかできないのだ。近代国家の形成も帝国主義からの植民地の独立もエスノ・ナショナリズムの噴出も、すべて同列にあつかうがゆえに、彼らは、特定のエスニック集団が自己のエスニシティを自己主張するショービニズムに無自覚のまま、その尻おしにあけくれることになるのだ、といえる。」(『どこへゆく、世界よ！――ソ連滅亡以降の思想状況』あかね図書販売二〇〇三年、二〇一頁)

三　レーニンの〈分離ののちの結合〉論

1　ブルジョア民族主義への転落を隠蔽する早瀬

これまでの論述において、黒田寛一が理論的に整理した「エスニシティ」概念を「革マル派」中央官僚・早瀬光朔がどのように悪用しているかを見てきた。これに引き続いて以下では、彼・早瀬がレーニンの〈分離ののちの結合〉論を、やはりブルジョア民族主義への自らの転落を正当化するための論拠にまで貶めていることを明らかにする。

右の引用にあるように、九〇年代のユーゴ反戦闘争における西欧トロツキスト諸派に対する論戦の中で酒田誠一は、〈分離ののちの結合〉論を「ネイション・ステイトの止揚」を目指す指針として捉え返していた。このような理論的把握を今日の「革マル派」中央官僚らが完全にぶち壊している以上、酒田論文が解明したところのものの再主体化が必要であることは、すでに述べたとおりである。

とはいえ、〈分離ののちの結合〉論に貫かれたレーニンその人の独自な革命的立場を改めて確認するだけでは、今日の情勢にあってはやはり不十分であろう。たしかに、スターリンによって徹底的に踏みにじられたこのレーニン的原則は、「抑圧民族」のプロレタリアートが「被抑圧民族」のプロレタリアートと連帯するための革命的方向性を示したものとして、われわれが今日なお参照するべきひとつの原点をなす。しかしながら、旧ロシア帝国領の中でもブルジョアジーが階級としてなお未確立な段階にあった地域にまでこの〈分離ののちの結合〉が一般的原則として適用されたことは、プロレタリアートの過渡期国家として確立されるべきソ連邦の中にひとつの歪みを生み出す結果となったことも事実なのである。今日プーチンは、かの悪名高き「ロシア人とウクライナ人との歴史的一体性」論文においてレーニンの〈分離ののちの結合〉論を、ソ連邦解体の遠因となった政策だとして非難している。これ自体はウクライナ侵略戦争を正当化する虚偽の宣伝であるとはいえ、それを全くの虚偽だと切り捨てるだけであれば、却ってそれは真に克服していくべき理論問題に蓋をすることにもなる。「革マル派」中央官僚の度し難いナショナリズムのみならず、プーチンの言説と対決するためにも、レーニンの〈分離ののちの結合〉論そのものの批判的検討を避けて通ることはできないと私は考える。

そこでまずは、「革マル派」中央官僚・早瀬がレーニンの〈分離ののちの結合〉論についてどのように述べているのかを見ておこう。

「レーニンと初期ボルシェヴィキは、独立した民族国家を単純に否定するズンドウの「世界革命」なるものをめざしていたわけではまったくない。彼らは、「内容上ではないが形式上は民族的に」というマルクス・エンゲルスの革命理論（『共産党宣言』）にのっとって、ロシアを起点とするヨーロッパ＝

アジア・プロレタリア革命の連続的遂行を展望していたのである。それゆえにレーニンは、つくりだされるべきソビエト諸共和国の連邦について、「ヨーロッパ＝アジア・ソビエト共和国連邦（ソユーズ）」という名称を提案したのであり、それは「各共和国の完全な同権と自由意志にもとづく加盟」および「離脱の自由」を保証するものでなければならない、と主張したのである。

レーニンとボルシェヴィキが、ソ連邦結成後に、ウクライナにおける「ウクライナ化」（＝「土着化」）政策を推しすすめたのもまた、同じ理由による。彼らは、右のような「分離ののちの連邦制」という原則に立脚して、各民族ソビエト共和国の――それぞれの内部での労農同盟の創造と・そこにおけるプロレタリアートのヘゲモニーの確立、これを基礎とする階級的相互連帯にもとづいて――インターナショナール（民族的即国際的）な連合をつくり出そうとしたのである。

このようにレーニンは、ウクライナにおける「民族解放」と「労農革命」を、――労働者階級の国際的な階級的団結を基礎にして――ウクライナ労働者・人民の「自己決定」にもとづき遂行すべきことを一貫して促したのだ。まさにそれゆえに大ロシア主義者・プーチンは、このレーニンを蛇蝎のごとく忌み嫌い、ありとあらゆる悪罵を投げつけているのである」（『新世紀』三二二号、一〇三―一〇四頁）

ここに書かれていることは、全くのところ奇妙である。

第一に、『共産党宣言』の文章が意図的に切り取られ、訳語が加工されている。引用元の文はこうだ――「ブルジョアジーに対するプロレタリアートの闘争は、内容上ではないにせよ、形式からすれば、さしあたりnationalな闘争である。当然にも各国のプロレタリアートは、まずは自国のブルジョアジーから片付けていかねばならない」。この「national」という部分を早瀬はあえて「民族的」と訳しているのだ。しかしマルクスとエンゲルスは、この箇所ではプロレタリア革命の「内容」と「形式」との対照関係を論じているのだから、内容上は国際的であることの対になる「形式」については――すでに一〇〇年以上前の初邦訳で堺利彦と幸徳秋水が的確に捉えていたように――「一国的」と訳されるべきだろう。そうではなくこれを「民族的」と訳して、しかも一部分を切り取ってしまう早瀬は、マルクスとエンゲルスが「自国ブルジョアジーの打倒」をこそプロレタリアートの「一国的」闘争の中身としていることをこっそりと隠したのだ。そうしておけば、ゼレンスキー政権を尻押しする「革マル派」の祖国防衛主義を隠蔽できるからである。

だが、『共産党宣言』の精神とはこうである。各地域のブルジョアジーが支配階級としての自らの特殊的利害を「国民」（ネイション）全体の一般的利害として妥当させているところのそれぞれの国民国家（ネイション・ステイト）において、抑圧され搾取されている労働者階級は、「さしあたり」「まずは」、この国家内部での闘争を組織する以外にない。各国のプロレタリアートは、それぞれの国の政治権力を奪取することによって、新しく建設される労働者国家の主体＝「国民」として自らを組織する。『宣言』第二章に云うように、「プロレタリアートはまず政治的支配を自ら獲得し、自らを国民的（national）な階級へと高め、自己自身を国民（Nation）として構成しなければならない。だから、プロレタリアート自身は、ブルジョアジーの云う意味とは全く異なるとはいえ、やはり国民的なのである」。それぞれの地域で成立していくべきこの新しい意味の諸「国民」が、横につながって連帯していくことは理の必定である。何故なら、各国の労働者階級は同じ資本制生産様式の下で搾取され疎外される被抑圧階級として国境を超えた同一性を本質的に有するのであり、その意味で皆が「祖国を持たない」。マルクスとエンゲルスの言い方を裏返せば、労働者階級の闘争は「形式からすれば」それぞれの国家内部で展開されるとはいえ、「内容上」はあくまでも国際的なのである。それは、プロレタリア革命が人間の人間的解放たるの世界史的普遍性を有するからに他ならない。

早瀬が右のような事柄を曖昧にしたことは、第二の問題点にもつながってくる。すなわち彼はレーニンの〈分離ののちの結合〉論に関して、「ソ連邦結成後」に連邦を構成する「各共和国」が分離の権利を有することを紹介する一方で、一九一七年に成立した革命ロシアからの〈分離〉ならびにソ連邦への加盟＝〈結合〉を誰が・どのように「自己決定」するのかについては、一切言及したがらない。ツァーリ専制体制がロシア・プロレタリアートによって打倒されたのちにソヴィエト政権からの「分離」を望むのは、「各共和国」の中の一体誰であるのか。そもそも、ロシア革命の時点で「各共和国」なるものがすでに存在していたと云うのか？　こう問いかけてみるだけで、早瀬の論が意図的に何かをぼかしていることはすぐに露見してしまう。

これに対してレーニンは〈分離ののちの結合〉論において明確に、「被抑圧民族」自身によるブルジョア国家の新建設を支持したのである。「革マル派」中央官僚派と異なってレーニンその人が、ブルジョア民族主義者の積極的部分を支持することに何のごまかしもためらいも見せていないのは、その支持が、あくまでもプロレタリアートの闘争を前進させるという目的実現の観点において下された政治的決断だったからに他ならない。

ロシア革命の後、過渡期国家の建設に向けた社会主義的諸制度を具体的に練り上げていく闘いの中で、旧帝政ロシア領内に住まう諸民族をどのようにしてプロレタリア革命へと糾合していくのかが焦眉の問題として浮上した。この問題を解決しないことには、帝政ロシアの支配下にあってロシアに対する反感を募らせていた諸民族は、ボリシェヴィキを敵視する反革命勢力の内へと容易に取り込まれてしまう。一九一八年の春には既に英・仏・米・日といった帝国主義列強が干渉戦争を開始していたし、この時期に「ウクライナ人民共和国」の「中央ラーダ」を名乗る勢力は、ボリシェヴィキとは別個に調印したブレスト＝リトフスク条約（いわゆる「ベレスチャ条約」）に基づいて、ドイツとオーストリアからの軍事的協力を得て革命ロシアへの公然たる敵対を開始していたのである。加えて、コルニーロフの反乱に参加していた帝政派のデニーキン将軍もまたロシア南部およびウクライナ中部において白軍を組織し、支配地域を拡大しつつあった。こうした中でレーニンは、ツァーリの支配から解放されたロシア以外の諸民族がソヴィエト政権との関係をあくまでも「自己決定」するべきことを主張する。たとえツァーリ専制体制を打倒したのだとしても、労働者国家が帝政期の統治機構をそのまま受け継いでロシア以外の諸民族に対して社会主義諸制度を〝上から〟押し付けるならば、押し付けられた側はロシアのソヴィエト権力に対してツァーリに対するのと同じ反感を抱くことになるからである。このような観点からレーニンは、旧ロシア帝政下にあった諸民族が革命ロシアから分離独立すること、すなわち独立したブルジョア国家を創設することを認め、そしてこの新生の国民国家において労働者・農民の階級が〝下から〟ブルジョアジーを打倒して、然るのちに改めてソ連邦へと結集することを望んだのである。これは事によっては、というよりも現実的な見込みからすれば、革命ロシアの領土的縮小を確実にもたらす。

そうした「分離」を認めるレーニンの大胆な後退戦術は、すぐれた現実感覚に基づくものであると同時に、プロレタリア革命が「さしあたり」「まずは」一国的であるという『共産党宣言』のテーゼを彼が現実的に適用した結果であった。しかしこの適用の仕方こそが、後々まで禍根を残しているのである。

2 〈分離ののちの結合〉——その理念と現実

レーニンは〈分離ののちの結合〉論を打ち出すことによって、『共産党宣言』の精神をロシアの特殊的現実へと彼なりの仕方で貫徹させた。ここで「ロシア」と簡単に書いたけれども、ロシア帝国の「支配民族」たる、いわゆる「大ロシア人」は帝国人口全体の半分にも満たず、その他には一〇〇を超える数のエスニック集団がいる。これらが統合されないままそれぞれ独立した言語集団・部族集団の形を残しているのは、ツァーリの統治する「帝国」が、皇帝権力の軍事的支配と、それに服従する「公国」等の小支配階級による忠誠関係によって成立していたからである。これは近代以後の国民国家と大きく異なるところであって、「資本主義の最高発展段階としての帝国主義」ではないところの旧来型「帝国」は、支配階級の特殊利害を「帝国臣民」の一般的利害として妥当させる場合に、言語・文化・歴史的経験等々の共通性を不可欠な条件とするわけではない。「諸国民の春」とも呼ばれる一八四八年の直前にマルクスとエンゲルスが、プロレタリアートの闘争は「内容上ではないにせよ、形式からすれば、さしあたり一国的」だと述べた際、二人が念頭に置いていたのは西ヨーロッパにおいて成立しつつある近代ブルジョア国家＝ネイション・ステイトなのであり、後進国たる帝政ロシアではなかった。まさしくここに、レーニンが対決を迫られた問題がある。すなわち、ペトログラードとモスクワを中心に実現したプロレタリア革命を、旧帝政が支配したロシア以外の地域へと如何なる仕方で波及させてゆくのかが問われたのだ。では、レーニンの具体的な実践とは如何なるものであったのか。

一九一七年、十月革命の渦中において労働者・兵士代表ソヴィエト第二回全ロシア大会は、第一次世界大戦の全交戦国に対して「平和に関する布告」を発表した。「富強な諸民族がその略奪した弱い民族を自分たちのあいだでどのように分けあうかということをめぐるこの戦争をつづけることを、政府は人類にたいする最大の犯罪と考え、例外なくすべての民族にとってひとしく公正な上記の条件〔「無賠償・無併合・民族自決」のこと――浜中〕にもとづいてこの戦争をやめる、そういう講和の協定に即時調印する用意があることを、厳粛に声明する」(『レーニン全集』第二六巻、二五〇頁)。植民地の争奪をめぐる世界戦争を終わらせるために、レーニンはこの布告によって、英・仏・独のプロレタリアートが自国の帝国主義国家権力を打倒するべきことを訴えた。そしてこの呼びかけは当然にも、旧帝政ロシア領土内において「大ロシア人ブルジョアジー」に抑圧されてきた諸「民族」に向けられなければならない。

その場合、ひとつの問題が浮き彫りとなる。すなわち、もはや帝政のない「大ロシア」からの分離＝新たな国民国家の樹立を承認するとは、分離独立する諸民族が革命政府から訣別してブルジョア国家を創設することの容認を意味している。たしかに、社会主義建設へ向けた過渡期国家の諸制度は、ロシアのプロレタリアートが旧帝政ロシアの「支配民族」たるの地位を自ら否定しないままで辺境地域へと持ち込まれるべきではない。そのようなやり方は、一切の支配と抑圧の廃棄を本質とするプロレタリア革命そのものと矛盾するからである。だが、プロレタリア革命からの自由な分離を認めることは、この分離した地域を反革命の側へと譲り渡してしまう危険を孕む。レーニンはこのジレンマを、「ウクライナ人民への宣言とウクライナ・ラーダにたいする最後の通牒的要求」と題した文書（一九一七年一二月）において率直に表明している。

「社会主義のためにたたかううえでの、労働者と勤労被搾取大衆の統一と兄弟的な同盟の利益から出発して、また革命的民主主義派の諸機関、すなわちソヴェトの、とくに第二回全ロシア・ソヴェト大会の、多くの決定がこの原則をみとめていることから出発して、ロシアの社会主義政府すなわち人民委員会議は、ロシアから分離する権利をふくめた自決権を、ツァーリズムと大ロシア人ブルジョアジーに抑圧されてきたすべての民族にあたえることを、もういちど確認する」（同三七〇頁）

「［…中略…］ラーダは、ソヴェト権力にたいするカデット＝カレーヂン派の陰謀と反乱を支持している。ラーダは［……］勤労カザック人の圧倒的多数の利益と要求にそむくカレーヂン派の反革命的行動を庇護し、カレーヂンに反対の軍隊には、領土の通過を拒否しながら、カレーヂン側へいく軍隊には通過をゆるしている。

革命を、このように前代未聞の仕方で裏切る道に立つことによって、またロシアの諸民族の民族独立とソヴェト権力との最悪の敵を支持し、勤労被搾取大衆の敵、カデットとカレーヂン派を支持する道に立つことによって、ラーダは、ラーダにたいしてためらうことなく宣戦を布告することを、われわれによぎなくさせるであろう――たとえ、すでにラーダが、最高の国家権力機関、独立のウクライナ・ブルジョア共和国の完全に正式にみとめられた、争う余地のない機関になっているにしても、そうである」（同三七一頁）

このようにレーニンは、ウクライナ・中央ラーダが革命ロシアへの敵対をやめて国家的独立を維持するのか、それとも反革命の側にまわることで赤軍によって打倒される運命を甘受するのか、この二者択一を迫っているのだ。とは言え、この「最後的通牒」は決して、レーニンにとって民族自決の理念が単なる空語だったことを意味しない。

彼はあくまで、「ウクライナ・ブルジョア共和国」が〈ロシアから分離する権利をふくめた自決権〉の行使の結果であることを認めている。ロシア二月革命の直後に結成されていた中央ラーダが、一九一七年一一月二〇日の「第三ウニヴェルサール（声明）」において「ウクライナ人民共和国」建国を決めたこと、これ自体がすでに、十月革命に反対しソヴィエト権力に対抗することの公然たる宣言だった。このことを承知の上でレーニンは、〈ロシアから分離する権利をふくめた自決権〉の原則に基づいて、ラーダが「ウクライナ人民共和国」の最高機関であることを承認したのである。後述するように、レーニンのこの構えはフィンランドの独立に関しても同じである。

しかし、この人民共和国が反ソヴィエトのカデットと連携し、後にはデニーキン一派の白軍の拠点となるに及んで、レーニンはこの国家を粉砕することに決めた。つまり、〈分離ののちの結合〉論が実践的に破産したことを自覚することなく、したがって明確に区切りをつけないままでレーニンは大胆に姿勢転換し、〈ロシアから分離する権利をふくめた自決権〉を大幅に制限して実質的には否定したのである。

ちなみに「革マル派」中央官僚・早瀬は能天気にも、「ウクライナの人民（エスニシティ）は、レーニンとボルシェヴィキに導かれた一九一七年のロシア・プロレタリア革命の勝利的完遂に励まされ・それを助力として、初めてみずからの「民族独立」をたたかいとったのであった」などと書いているが（『新世紀』三二二号、一〇二頁）、そんな綺麗事では全くなかったのだ。各民族が革命ロシアからの分離を「自決」してブルジョア共和国を建設するよう促したことは、結果的に、それぞれの民族ブルジョアジーに反革命の好機を与えてしまった。これはローザ・ルクセンブルクが厳しく批判していた通りであって（注7）、レーニンは結局のところこの危機を軍事的に解決する以外になかったのである。ラーダに対する赤軍の勝利後に創設された「ウクライナ社会主義ソヴィエト共和国」は事実上ボリシェヴィキ党が〝上から〟つくりだした政治体であるのに、「革マル派」早瀬がこれを以って「ウクライナ人民は、プロレタリア革命をつうじて、同時に「民族独立」を勝ちとった」などと書くのは、もはや歴史偽造の域に達している。

ともかく、革命ロシアからの分離独立を「自決権」として認めたことは、ブルジョアジーに対する大幅な譲歩政策を導いたものとして、様々な現実的混乱を引き起こす要因となった。レーニンが〈ロシアから分離する権利をふくめた自決権〉に固執したさしあたっての理由は、彼が常に、「大ロシア人」プロレタリアートの「支配民族」的振る舞いを警戒していたからである。しかし、これまで抑圧されてきた諸民族に対して自己解放を呼びかけるのであれば、ロシア・ソヴィエトに対する各地域ソヴィエトの対等な地位を制度的に保障すればよいだけのことである。諸民族が既に反革命勢力の拠点になっているのであれば、赤軍がこれを撃退した後に、各地域の労働者・農民自身によるソヴィエトの組織化を支援することが必要である。そのような具体的措置の次元を超えて、レーニンがあれほどまでに〈分離ののちの結合〉を一般的原則とすることにこだわった根本的な理由はやはり、「四月テーゼ」の転換後も彼の内に根深く残っていた二段階革命論的な思考、これを抜きにしては考えられない。旧帝政ロシアの支配下にあった各民族集団が、ブルジョア民主主義共和国の創設そして資本制生産の発展を経て、その後はじめてソヴィエト権力に結集する――レーニンはこう考えていたのではなかったか。しかしそれこそが、革命ロシアの民族政策に混乱をもたらしている。

ここでもう一つ、レーニンが実践的に対決した問題として、フィンランドに目を転じてみよう。かつてスウェーデン王国に属していたこの国が、度重なる戦争の末にロシア帝国へと併合されたのは一九世紀初頭のことである。西欧諸国がペトログラードに製品を輸出するための中継地だったこともあり、ヘルシンキを中心とする南部は工業地帯として発展した。民族資本家階級が次第に形成されていく中で、フィンランド人たちはヨーロッパ全土での「諸国民の春」に感化され、ロシア語使用を強制するツァーリ権力に対する強烈な反抗心――フィンランド語は印欧語の話者からすると「悪魔の言語」と呼ばれるほど言語構造が異なっている――を抱いてきたのである。一九一七年、十月革命を達成したボリシェヴィキが旧帝政ロシア領内の諸民族に対して自決権を認めたことを受け、フィンランド議会は同年一二月に独立宣言を発した。この時点で革命ロシアの民族問題担当人民委員だったスターリンは、〈ロシアから分離する権利をふくめた自決権〉テーゼの意味を彼なりに理解し、あからさまな二段階革命論で説いてみせる。

「フィンランドが独立を得た状況を綿密に検討するならば、人民委員会議が自ら望むところに反して実際に自由を与えたのはフィンランドのブルジョアジーに対してであって、人民、フィンランドのプロレタリアート代表に与えたのではなかったことがわかるだろう。フィンランドの労働者と社会民主主義者は、ロシアの社会主義者から直接ではなく、フィンランドのブルジョアジーを介して自由を得なければならない立場にあることに気付いたのだ」（「フィンランドの独立について」一九一七年一二月二三日、『スターリン全集』第四巻）。

しかしフィンランド議会においてはもともと、民族主義者が台頭する一七年秋前までは社会民主党が多数派を掌握していたのであり、それほどまでにプロレタリアートは少なからぬ組織的力量を有していた。フィンランドの独立は、ロシア革命の直接的影響を受けるこの地で激化しつつあった階級闘争と不可分の問題だったが、これに対して革命ロシアの人民委員会議が〝ブルジョアジーに自由を与えた〟ことは、当然ながらフィンランドの社会主義者たちを孤立させる結果となったのである。すなわち翌一九一八年一月にブルジョアジーの議会は警察権力を大幅に強化することを決議し、旧帝政ロシア軍の将校だったマンネルヘイムを司令官に任命した。反革命軍の組織化である。

これに対して社会民主党は一月二八日に「フィンランド社会主義労働者共和国」の建国を宣言し、白軍との内戦状態に入った。社会民主党が主導するこの共和国は、ソヴィエト国家を想わせるその名前に反して、ブルジョア議会制の形式をとっている。その憲法草案を書いたのは、社民党内のボリシェヴィキ派であり後にコミンテルン執行委員となるオットー・クーシネン――後に日本共産党の三二テーゼ起草に関わる人物――であるが、彼もまたスターリン式の二段階革命論に基づいて、フィンランドにおける白軍との闘争を〝民主的〟なブルジョアジーとの共同戦線を基礎にして遂行することを構想したのだった。

だが現実はその通りにはいかない。フィンランド社会主義労働者共和国は民族ブルジョアジーの支持を得られないまま、ドイツ軍の援助を得たマンネルヘイムの白軍によって一八一八年五月に打倒されてしまう。この内戦によって赤軍ではおよそ五〇〇〇人の戦死者が出たほか、約七三〇〇人が白軍によって処刑され、また捕虜収容所内で蔓延した感染症のせいで約一万一〇〇〇人が命を落としている。まずはブルジョア民主主義共和国の成立を優先する二段階革命論は、ここフィンランドでもウクライナの場合と同じく、プロレタリアートの血によって贖われてしまった。

たしかに〈分離ののちの結合〉論に対して今日このように評価を下すにあたっては、レーニンらが期待し前提としていたドイツ革命、これが遅れ、そして失敗したという痛苦な現実を考慮しなければ、公平さを欠くとは言える。しかし、世界革命の決定的な遅れにもかかわらずレーニンは「民族自決」原則をあくまでも護持し、それに一定の軌道修正を加えるだけで、実践的にはその場ごとの政治判断によって危機を乗りきってきた。まさしく問題はここ、つまり二段階革命論がこと民族問題に関しては全く反省されないまま、その都度の破産がプラグマティックに糊塗されているという、このことにある。

例えば、コミンテルン第二回大会のためにレーニンが書いた「民族問題と植民地問題についてのテーゼ原案」(一九二〇年六月)では、「民族自決」すなわちブルジョア国家の樹立一般を〝進歩的〟なものとみなす態度が修正された一方、プロレタリア革命にとって有益であるその限りでブルジョア民主主義の特定の部分を支持することが、改めて確認されている。

「〔……〕共産主義インタナショナルは、すべてのおくれた国内の、名称だけの共産党ではない、将来のプロレタリア党の諸分子を結集し、教育して、彼らの特別の任務、彼らの民族内部のブルジョア民主主義的運動とたたかう任務を自覚させる条件があるばあいにだけ、植民地と遅れた国のブルジョア民主主義的民族運動を支持しなければならない」(『レーニン全集』第三一巻、一四〇―一四一頁)。

これはレーニンなりの、失敗の教訓化ではある。しかしやはりここでも、「おくれた国」はブルジョア民主主義革命の段階を必然的に経由するものだという考え方が基本的に変わっていない。十月革命において実践的に克服されたはずの二段階革命論が、民族問題に関してはレーニンの頭脳を根強くとらえていることの根拠を理論的に掘り下げていく必要はある。だがその前にここで確認しておくべきなのは、レーニンが民族問題における二段階革命論の破産を自ら明確化しなかったことが後々もたらした、深刻な禍根である。すなわち、「民族自決」原則が各民族ブルジョアジーに反革命の機会を与える結果を招いたこと、このことに対するスターリンなりの教訓化が、大ロシア主義的な統治だったのだ。このことの問題については、別に検討することが必要である。

（注7）ローザ・ルクセンブルクの『ロシア革命論』（一九一八年）にある次の記述は、ウクライナ民族主義の存在理由自体を否定した極論として誤ってはいるものの、〈分離ののちの結合〉論に対する批判の限りでは鋭いものを含んでいる、と私は思う。「しかしボリシェヴィキは、この反革命のキャンペーンを覆い隠すようなイデオロギー〔「民族自決権」のこと――浜中〕を提供し、ブルジョアジーの立場を強化し、プロレタリアの立場を弱体化させてしまった。それを示す最良の証拠が、ロシア革命の運命において致命的な役割を果たすことになったウクライナである。ウクライナの民族主義は、ロシアにおいては例えばチェコ、ポーランド、フィンランドの民族主義とは全く異なり、数十人の小ブルジョア知識人たちの単なる思いつき、うぬぼれにすぎず、その土地の経済的・政治的・精神的諸関係に何ら根ざしておらず、如何なる歴史的伝統もない。というのもウクライナは一度たりとて国民（Nation）も国家（Staat）も形成したことがなかったし、シェフチェンコの反動的でロマン主義な詩を除いては如何なる民族文化（nationale Kultur）も有していなかったからである。まるで、ある晴れた朝に水辺の人々が、フリッツ・ロイターの合図でもって低地ドイツの新しい国民と国家とをいきなり設立すべく欲したかのような具合である。そして、幾人かの大学教授と学生たちによるこの馬鹿げた茶番劇は、レーニンとその同志たちによる「云々かんぬんをも含めた自決

権」〔ロシアからの国家的離脱をも含めた民族自決権――浜中〕などという空理空論の扇動をつうじて、一つの政治的動因となるまでに人為的に膨張させられてしまったのだ。レーニンたちは、はじめは茶番劇だったものが終いには最も血生ぐさい深刻な話となるに至るまで、それに対して重要な意味を与えてしまった。すなわち、依然として何の根もない不真面目な民族運動は今や、反革命の看板と旗になったのである。この種の無精卵から、ブレストでは、ドイツ軍の銃剣が這い出てきたのだ。」

二〇二三年二月一一日

II　階級闘争論

八代さんへ

潮来一郎

○○工業地帯のど真ん中で闘い続ける八代さんとお会いし、労働運動上の直面する諸問題などについてお話を聞かせていただいて二か月になりました。その際にいただいた文書（以下「八代文書」とします）について探究派として組織的に論議したことに基づいて、お伝えしたいと思います。

まずは、プラズマ現代叢書のみならず、同志松代のブログや探究派公式ブログなどをも熱心に検討していただいたことに感謝の念を表明します。

（1）まず、「八代文書」の一ページで書かれている「自問自答」（「われわれはこの連合型の労働運動をのりこえるのであって、のりこえる対象が社共が指導するそれと代わっただけではないのか？」）についてですが、この疑問は八代さんの思考・論述の進行とともに氷解したものと理解します。「われわれがのりこえるべき運動が消滅してしまっているのが現実であり、こうしたことからわれわれは労働者階級としての労働運動を職場から創造するしかないのではないか？」との考えは、まさにわれわれがこのかん考えてきたことそのものです。

（2）「「のりこえの立場」の規定は動労の反合理化闘争には適用できないとすることにはいささか疑問を感じます。」について。

この点については、そもそも「動労の反合理化闘争」とされるものじたいが、松崎さん自身が実質的に組織し展開している闘争であったことをとらえておくことが重要だと思います。この点について、松崎さんと黒田さんとは相当違っていました。「民同左派」とされるもの（いわゆる「政研」）は、松崎さんが既存の伝統的左派グループの面々と彼が育てた青年部の活動家たちとを結集してつくりだした組合内左翼フラクションと言えるものであって、黒田さんは既成の民同左派フラクションに松崎さんが「加入戦術」をとっているというようにとらえていましたが、それは間違いだとわれわれは考えます。松崎さんはみずからがつくりだした左翼フラクションを実体的基礎とした組合執行部の指導者として方針を提起する、という立場にあったのだと言えます。彼自身が動労の運動を牽引したのです。当初は動労田端支部、さらには動労東京地本、動労本部というように松崎さんはその指導性を確立していったわけです。おのれ自身が創り出した階級的現実を、さらにどのように変革し労働者階級の階級的団結をいかに強化していくのか、ということが彼にとっての問題であった、と言えるでしょう。この点では両者は食い違ったままであり、この食い違いが様々な対立の根っこにあったと言っても過言ではないと思います。（この点については松代秀樹編著『松崎明と黒田寛一　その挫折の深層』で論じられています。）

（3）なお、前提的に、〈$O \to P_1$〉と〈$E_2 \to E_{2U}$〉との関係ですが、前者は革マル派の戦術の解明そのものに関すること、後者は、運動＝組織論として解明された組織活動の諸形態にふまえた戦術の提起の仕方（方針提起の仕方）に関することと言えます。

（4）「八代文書」で中心的に問題としている「大幅一律賃上げ」について。

このスローガンは党の過渡的要求を示すものと言えます。かつてのように左翼的な労働運動が確固として・広範に存在していた時には、賃金闘争そのもののなかでその担い手たちに革命的自覚を促すために提起していたわけです。八代さんが疑問をもっていたように「日本労働運動の終焉」以後には、現実性をもたないものとなってしまいました。八代さんが論じているとおりだと思います。

私自身は、労働者として働きはじめた時期が遅く、このような問題について現実的に考えるようになったのは、ほぼ二〇〇〇年頃からですので、八代さんが「分会春闘」を牽引するようになった時期と重なります。実は、私も春闘集会などで「大幅一律賃上げ」が金科玉条のごとく叫ばれることに疑問を感じていました。実際には組合役員としてそのようなスローガンを提起しているメンバーは一人もおらず、それは現実的には内輪の集会での〝怪気炎〟以上のものではありませんでした。労働者同志たちは、それぞれに「連合」の羈絆にしばられつつも、職場の階級的現実にふまえて要求内容を工夫する、というのが実態であり、そこで苦心していたわけです。いわんや、ＩＭＦ・ＪＣの流れをくむ労働貴族が支配する八代さんの労働組合においてをや、ということでしょう。集会や紙面で呼号される「大幅一律賃上げ」は単なるお題目のようなものであったと言えると思います。しかもそのお題目を唱えることが、革命的左翼としての身の証のような意味をもっていたのであって、今日から言えばむしろ労働者の主体性喪失の一表現であったとさえ言えるのではないでしょうか。八代さんのように疑問を感じるだけの実践性・しなやかさをもっていた人が組織内で肩身の狭い思いをする、というような組織的実態をも示すものであったと思います。

（5）〈E_2→E_{2U}〉という問題ですが、「見直して良いように思えてきました」とされていますが、まさにそのことをわれわれも議論してきました。われわれは共産主義者（党員）として白らのおいてある場を変革するための指針を解明するのであって、他の場所で（しかも、実は他の誰かによって）解明された指針（基本的には機関紙上で提起される「組織的」指針）をこの場にふさわしく「具体化」するわけではない、ということです。私自身は、松代さんの提起にもとづく探究派での論議以前においてはまったく疑問をもってはいませんでしたが、言われてみると、ごく当たり前のごく自然な考えであるように思えてきます。考えていると〈コロンブスの卵〉の逸話を思い出します。それほどまでに「具体化」論に縛られていたように思います。松代さんはブログで、階級闘争論的解明とともにそれは「気がつけば当たり前のことだった」とも言っていますが、その「当たり前」に達するためには、革マル派労働者組織建設の破産をのりこえるために松崎さんの実践を主体的に考察すること、そして松代さん自ら体験した介護職場での創意的闘いを教訓化することが不可欠だったと言えます。それらの諸教訓を、探究派メンバーの職場での実践にどう活かすか、をめぐってわれわれは論議を重ね、かつ掘り下げてきたのです。

（6）この問題は、革命的実践を通じての労働者的主体性の確立という問題にもつながります。

一九八〇年代初めに、国鉄の検修外注化阻止闘争の指針について、〈E_{2US}〉（イー・ツー・ユー・スペシャル）という理論化がなされたことをご存じでしょうか。方針内容としては「検修外注化反対＝労働強化は受け入れる」というものです。八代さんが、それまでは会社が自社で「内製」していた特定の部品を外部企業に発注するという攻撃に直面して考えた方針と同じでしょう。

specialという所以は、黒田さんによれば「〈E_2〉ひいては〈革マル派の立場〉からは出てこない特別な方針」、という意味なのですが、これもおかしなことです。いったいどこから出てくるのでしょうか。あたかも〈時代〉から湧き出すかのようなアクロバット的な粉飾としか言いようがありません。

（7）「特定部品の外注化」反対闘争についてですが、八代さんが分会長として提起した「特定部品の外注化反対＝当該部門の労働者の多能工化うけいれ」という方針は素晴らしいと思います。現実的には、おっしゃるように、「既成の運動ののりこえ」や「機関紙上に記載されているE_2の内容をE_{2U}へ具体化することに悩む」というそれまでの地平を実践的には完全にのりこえたもの、と言えるでしょう。戦術問題に関する「私の頭の働き方」「感覚」の根底的転換をかちとった、というのは、まさにその通り、ですね。

国鉄の「分割・民営化」との闘い方に関する記憶がよみがえってきた、とのことですが、八代さんが考えた方針は国鉄の検修外注化阻止闘争や基地統廃合反対闘争（北海道）に際して松崎さんが考えた、現実的という意味で革命的な、指針と同じ意義をもつものと、私は思います。八代さんを裏切り者であるかのように非難した当該産別の他の革命的フラクションのメンバーたちは、これもまたお題目と化した「合理化絶対反対」にとらわれていたわけですね。彼らがその後、資本の諸攻撃に対応不能となり、多くが脱落していったことも宜なるかな、でしょう。

（8）右の転換を、八代さんは「私の頭は本部弾劾型から現場労働者の利害優先型に切り替わりました」としていますね。松代さんの「階級闘争論的立場」と相おうものです。この点について八代さんは「私の姿勢転換前のいわゆる本部弾劾型運動の誤りの根拠を、「のりこえの立場」、「のりこえの論理」に求めることはできず、むしろ私の理解の偏りに負うところが多いと思います。」としていますが、これはかなり無理のある反省だと思います。むしろ、ベトナム戦争反対闘争をめぐる論争を通じて理論化された「のりこえの論理」や、『組織論序説』の段階で打ち出されていた「反幹部闘争をつうじての革命的労働者組織づくり」という伝統的な考え方にしばられた発想だったのではないでしょうか。これは動労の9・20闘争をめぐる松崎さんと黒田さんとの対立の根拠にもかかわる大きな問題だと言えるわけです。革マル派労働者組織の労働運動へのとりくみにおける、いわば〈鬼門〉となった普遍的な問題だと思います。今まさに、われわれが――ともに！――のりこえつつあるのです！

（9）「反幹部闘争主義」の問題は、二〇一〇年代中盤以降の革マル派内部でのわれわれ（その後、探究派を結成したメンバーたち）の検闘争をめぐる理論闘争の反省論議を通じて考察されてきました。『コロナ危機との闘い』の九九頁以下の「B「ダラ幹」をでっちあげての反幹部闘争の展開」をご覧下さい。二〇〇〇年頃、ある組合の闘いを指導した常任メンバーの誤謬が多大な組織的損失をもたらした件です。当時、その立て直しのために現地に行ったのが、松代さんでした。前掲書での論述の内容はそのときの教訓を今日的に論じたものです。当時、この問題は組織的には掘り下げ、普遍化されなかったのであって、禍根を残したと言えます。「反幹部闘争をつうじての労働者組織づくり」は、黒田さんの労働者組織づくりのいわば〝プロトタイプ〟であったことからしても、組織的論議が難しかったことは事実でしょう。〔なお、椧闘争での（今日から言えば）革マル派中央官僚の発想は、〈反幹部闘争主義〉と〈裁判所依存主義〉とを接合したようなものでした。私は当時、私が学んできた過去の誤謬の諸規定では説明できないグロテスクな偏向だと思ったのですが、その謎は自力では解けず、松代さんと合流した後の論議でようやく気づかされました。〕

私は、企業別労働組合での活動経験が浅く、八代さんの理論展開を十分理解できていないこともあろうかと思いますが、八代さんの諸論点について、組織的論議にもとづいて書いてきました。足りないところ、疑問を感じることについては、また手紙でお知らせ下さい。

二〇二三年八月二六日

階級闘争論

松代秀樹

一　職場での闘い

〔1〕労働組合のない職場で、職場総体型の闘いをくりひろげよう！

私が養護老人ホームの給食の業務の職場でやってきた経験をもとにして、労働者の闘いをつくりだすためにいろいろと提起したい、と思う。

∧パート労働者の時給一律一〇〇円（下層労働者のばあい）の引き上げを要求してたたかおう！∨

私が雇用されていた会社は、養護老人ホームから業務を委託されるというかたちで給食の業務をやっていた。私は、パート労働者であり、調理補助すなわち盛り付け・皿洗いの仕事であった。会社には正社員の労働組合はあったが、職場には正社員はほぼ一人であり、また契約社員もいたが、ほとんどがパート労働者であり、老齢の女性が多かった。

私は、パートの契約の更新の時期である、ちょうど今の春闘の時期に、パートの時給の引き上げを、地域の諸職場を統括する管理者であるマネージャーに要請した。

まず、ひとつ目に、要求内容について。

そして、ふたつ目に、職場の労働者全員と話しすることが大切であることについて。

ひとつ目の問題。

会社側からパート労働者を分断させないために、要求する内容を考えることが必要である。だから、何々手当というようなものを要求してはならない。時給そのものの一律の額での引き上げを要求することが大切である。これは、職場の労働者たちと話す内容をなすと同時に、マネージャーと話す内容をなす。

私は、職場の労働者たちと次のように話した。

「いまパートのわれわれそれぞれに時給に差があるのは仕方がないとして、みんなが団結できるように、みんなの時給を、一律で五〇円なり一〇〇円なり引き上げるように、会社に要求しよう。最低、時給が上がらない人がないようにしよう。私がマネージャーと話しするから。みんな、マネージャーに言ってよ。みんなが言ったら、力になるから」、と。

「五〇円なり一〇〇円なり」とか「最低、時給が上がらない人がないように」とかと幅をもうけたのは、職場の力関係からして、「そんなの無理よ」という反応がかえってくることが予測されたからである。

みんなの反応は、「それはいいけど。私なんかが言っても駄目よ。〇〇さんが言わないと、マネージャーは、言うこと聞かないよ」、というものであった。

パート労働者が自分たちの力を自覚するのは大変なのである。

ふたつ目の問題。

職場の労働者全員と話しすることが大切である。

時給の引き上げをかちとることが、闘いの直接の目的なのであるが、同時に、これを職場の労働者の闘いとして展開し、労働者たちの労働者としての団結を創造し高めなければならない。パート労働者一人ひとりと、また同じシフトの数人の労働者と話しをし、職場のこの仲間たちの意識を高めなければならない。このようにして、こういうみんなの意志一致のもとに私がマネージャーと話しするんだよ、とみんなの連帯意識・団結心をつくりだして、私がみんなを代表するかたちでマネージャーと話しすることが必要なのである。

二〇二三年二月二三日

〔2〕 実質上の職場労働者代表としての自分の地歩を創造しよう

労働組合のない職場で、パート労働者の時給の引き上げをかちとるために、私は、地域の諸職場を統括する地域マネージャー職の管理者に、「みんな、時給を上げてほしい、と言っている。みんな一緒に、五〇円なり、一〇〇円なり、上げてほしい。最低、上がらない人がいないようにしてほしい」、と話した。

このとき、私は、これを、職場のパート労働者の総意として話したのである。この意味において、私は、実質上、職場のパート労働者を代表する者として、会社を代表する者である地域マネージャーに相対したのである。

私は、職場のパート労働者たちと、個別に、あるいは数人で、というかたちで話してきたことを基礎として、「みんなの総意として」というように、マネージャーに話したのであり、彼もそのようなものとしてうけとって私と話し、「部長と検討する」というように持ち帰ったのである。（マネージャー職に就いている管理者の力量によって違うのであるが、このときの男の管理者の力量からすれば、部長と相談するまでもなく、彼が、時給を引き上げるかどうかを決める力を持っており、彼が決めたうえで部長に報告する、という関係であったと推測できる。）

ここから、次のことが言える。

職場の闘いをつくるという私にとっては、時給の引き上げをかちとるということが直接の目的であり、そのためにみんなといろいろと話しするのであるが、私は、同時に、私を中心にして職場の労働者たちの団結を創造するためにみんなと話しするのであり、私を中心にして職場の労働者たちの団結を創造するということそれ自体が、職場での私の組織的目的をなすのである。

このようなものとして、私は自分自身を職場の労働者たちの実質上の代表たらしめる、その地歩を創造し築かなければならないのであり、私はそのように努力してきたのである。

私は、つねひごろから、いじめられたり仕事の速さと複雑さに追いつめられたりしているパート労働者と話しして、彼女らや彼らが退職に追いこまれないように手助けし、そして管理者と闘争してきたのであり、何かあればその労働者が私に言ってくるという関係をつくりだしてきたのである。

労働組合のない職場において、このようなかたちで、労働者たちの団結をつくりだしていくことが必要であり、自分自身がその先頭にたたなければならないのであり、職場労働者代表としての自分の地歩を創造し築きあげていかなければならない、と私は思う。

二〇二三年二月二四日

〔3〕労働組合のない職場で、われわれは一人で闘いの先頭にたたなければならない

革命的自覚をもったわれわれが、労働組合のない職場に就職し働きはじめたときには、いや、そういう職場に積極的にとびこんで、過酷な労働のもとで退職に追いこまれそうになっている職場の労働者を助ける、というような活動をやっていくべきだ、と革マル派の組織の内部で提起した私は、党常任メンバーたちから非難を浴びせかけられた。「そんなことをしたら、そうせよとアンタに指導されたわが仲間がかわいそうだ。悲惨な目にあわせる」、と。まだ、黒田寛一が指導していた時代のことであった。

いま、ここで書いているように、そういう職場でわれわれが一人で闘いの先頭にたち、職場の労働者たちを実質上代表するものとして自分の地歩をつくりだすべきだ、ということを言えば、「土井路線のもちこみだ、一匹狼的闘いをあおるものだ」と非難されるにちがいない。

かつては、私は、いろいろと具体的なことは言えなかったが、実際に自分自身がそういう闘いをやることを基礎にして、その経験の教訓をめぐって論議し、いま、このように書いているわけである。現状を何とかうちやぶりたい、と考えているすべての労働者に、私は訴えるのである。

考えて見よう。

いまや、労働組合のない職場が圧倒的に多い。

そういう職場では自分が闘いの先頭にたたなければならない、ということはあまりにも当然のことであろう。自分がやらないで誰がやるのか、ということである。会社管理者ににらまれて首を切られる可能性があるから、自分は誰かの陰に隠れて二番手として活動する、というようなわけにはいかないのである。革命的自覚をもった労働者は、自分以外には職場にいないのである。自分がどのように活動し・闘いをくりひろげるのか、ということを、何としても編みださなければならないのである。

私は、「職場総体型の闘いをくりひろげよう」と提起した。

われわれは、職場の労働者全員と話ししなければならない。会社管理者からの労働者の分断を許さないために、そうしなければならない。と同時に、われわれは、あくまでも労働者階級を階級的に組織するために諸活動をくりひろげ、職場闘争を展開するのであって、職場の労働者全員を、その一人ひとりを、その人なりに一歩高めていかなければならないのであり、職場の労働者総体の労働者としての団結を創造し強化していかなければならないのである。

これを自分がやるのである。だから、会社管理者からの過酷な労働の強制に苦しんでいる労働者と話しし、この強制をおしかえしていくために、自分が先頭にたってこの労働者とともにたたかいぬくことが必要なのである。そして、何かあれば、職場の労働者たちが自分に相談にくる、という関係をつくりだしていくことが肝要なのである。

二〇二三年二月二五日

〔4〕部長・エリア管理者・現場管理者と話し交渉する関係をつくろう

労働組合のない職場で先頭にたってたたかうわれわれは、職場の労働者たちを実質上代表する者として、自分の職場のことについての決定を下している管理者・いくつかの職場を担当している統括管理者・自分の職場の現場管理者と話し交渉する関係をつくりだしていかなければならない。

私の職場において、こういうことがあった。

私が雇用されている会社の東日本支社長が、北関東の責任者である部長（新部長）・前の部長であり定年退職して顧問職になった女性・地域の諸職場を担当する女性のマネージャー（ベテラン）・現場責任者の女性（マネージャー見習いの栄養士）の四人に案内されて、業務委託元である老人ホームの施設長にあいさつに来た。私は、この日は午前中から昼過ぎまでの勤務であったが、「きょう午後に支社長が来る」ということを聞いて、これはいい機会だと思い、みんなに「支社長と話ししようと思うが、何を要求するのがいい？」、と論議し、仕事が終わったあと、支社長らが戻ってくるのを待った。

こういうように、経営者・管理者が縦系列で全員そろうというようなことはなかなかない。こういう機会をとらえることはきわめて重要になるので、何が重要なのかということを、ここに書く。

私が支社長にあいさつし「職場のことについていろいろあるので、少し話ししたいのですが、お願いできますか」と話しかけ、「いいですよ」と彼が答えたとき、マネージャーが「私たち、居ないほうがいい？」と割りこんできた。私は「居てもらったほうがいいですよ。みんなで話しするのがいいですから」と答えて、そうなった。

私は経営者・管理者五人全員と話したのだが、全員と話しする、ということが重要なのである。もしも、私が支社長とだけ話したり、誰か一人でも外したりすれば、参加しなかった管理者はひがみ、自分が密告されているのではないかと疑心暗鬼になり、そのあと、私に攻撃的に出るとか、私を排除しようとする行動に出るとかする可能性があるからである。私は、私が管理者みんなを、労働者である私が相手にする管理者として重視しているのだ、ということをその人にも他の人にも明らかにすることが必要なのである。（これよりもあとに、私がいろいろとやってきたことに対抗するかたちで、顧問が私に敵対する行動に隠然とうって出てきたのであるが、こういう諸条件のもとでどうたたかうのかということについては別に論じることが必要である。）

そして、私が支社長に、熱っぽく窮状を訴えて、紳士的に理路整然と話しし、支社長もまた私にまともに答える、というこの姿を、他の管理者たちが眼前にし、そしてその話し合いに自分も加わる、ということをとおして、彼らが、私を、支社長が対等に相対する人間である、というように認知し、自分たちもまた私をそのような人間としてあつかわなければならない、というように自覚する、こういうものをつくりだすことが必要なのである。これはまた、私が支社長と話しするという関係を現につくりだした、ということを彼らに認識させ、私にたいして下手なことはできない、という自制心をもたせる、ということでもある。

さらに、私が要請したことを実現する、という観点から言えば、私が支社長と話しして確認したことを、その場で全員に貫徹することができる、ということである。すなわち、出席していない管理者に、出席した管理者から伝えられる、というかたちで媒介的に伝わり、うすめられてしまう、ということがない、ということである。

話し合いの最後のほうで、マネージャーが私に「ここで話したことはみんなには言わないでよね。会社のほうから言うから」、と言った。私は「言うよ。支社長と話しすると、みんなと確認してきたんだから。私には責任があるから、私は自分でみんなに報告するよ」、と答えた。支社長は何も言わなかった。これで決まったのである。

私は、次の日、遅番であったが、朝食時にも、昼食時にも、職場に行き、来ていたマネージャーの目の前で、食べ終わったみんなに報告したのである。

二〇二三年二月二六日

〔5〕部長・エリア管理者・現場管理者はあわてふためいた

支社長・部長・顧問・マネージャー・現場責任者の五人を相手にして話しした場で、私が支社長に要請したことは次の三点であった。

その①は、パート労働者みんなの時給を上げてほしい、ということ。

その②は、労働時間の計算が、現状は、一五分刻みになっているが、これは労働基準法違反であり、正確に一分刻みに変更してほしい、ということ。（たとえば、現状では、遅番の勤務で、仕事が終わって二〇時四四分にタイムカードをおしたばあいには、二〇時三〇分までしか労働時間として計算されず、一四分間の部分が切り捨てになってしまう。これを切り捨てずに、この一四分間をも労働時間として計算してほしい、ということ。）

その③は、労働開始時刻の一〇分前には着替えて厨房に入っているように、と会社から指示されているが、これはおかしいのではないか、ということ。

この三点であった。

支社長の返答は、

その①については、――現場をよく知っている・ここにいる管理者たちがいろいろと配慮して考えてくれることでしょう。

その②については、――この件について労働基準監督署にもっていけば、改善勧告を出してくれることでしょう。しかし、社会的には、ほぼすべての企業が一五分刻みであり、三〇分刻みのところもあります。全社の問題になるので、こういう要請があったということを人事に言っておきます。

その③については、――この指示はできません。会社が指示すれば、その時刻から労働時間が発生します。

というものであった。

その③にかんして、「一〇分前には着替えて厨房に入っているように」という張り紙は、ただちに撤去された。

このように、私が支社長と話しする場に、この職場に指示をだす縦系列のすべての管理者が同席する、ということは、きわめて重要なことなのである。支社長の言ったことがこれらの管理者たちにそのまま貫徹され、すぐさま実現されることになるからである。

その①の時給の引き上げは、残念ながら実現できなかった。

その②については、その後、マネージャーと現場責任者とが、私に、「現場対応として、あと一〜二分で区切りの時刻になる、というばあいには、一〜二分待ってタイムカードをおすようにしてよい、というようにしたいがどうか」、と言ってきたので、私は、それを了承し、みんなに伝え、そうしよう、と確認した。

私が支社長ら五人と話しするということをやったことへのはねっ返りはものすごいものがあった。このことを自覚しなければならない、ということを私は痛感した。

支社長ら五人と話した次の日は、私は、朝食時と昼食時とにみんなに報告に行き、遅番の仕事をやったのだが、それの次の日は休みであった。

この日に、職場は大騒ぎになったのであった。そのことを、さらに次の日に、遅番の仕事をいっしょにやったパート労働者から私は聞いた。

部長・顧問・マネージャーが職場にやってきて、現場責任者といっしょに、パート労働者と個別面談をやったのだ、という。「何か不満はないか。不満があったら、〇〇さんに言うのではなく、現場責任者に言ってくれ。会社が良いようにするから。〇〇さんはどういう人か。〇〇さんをどう思っている?」というように点検し、不満があれば現場責任者に言うように、と必死で訴えたのだ、ということであった。「『〇〇さんはいい人ですよ』と言っといたよ」、とそのパート労働者は、私に言った。

これほどまでに管理者たちは怖れるのだ。私はおどろいた。労働者同士が連携をとることを、彼らはこれほどまでに怖れるのだ。パート労働者たちが不満を私に言ってくる、ということが、彼らはこわいのだ。私が労働者たちに労働者として信頼され頼りにされることが、彼らはこわいのだ。彼らは、現場責任者と個々の労働者というように、会社の縦の関係をつくり維持することに必死なのだ。彼らは、労働者たちを分断し、互いに切り離しておくことに必死なのだ。

何としても、職場の労働者たちみんなのまとまりをつくりあげ、労働者としての団結を創造し強化していかなければならない。私はそう思った。

それと同時に、管理者たちは、私を丸めこまなければならない、と考えたようだ。

マネージャーが職場に来て現場責任者と話しているところに私が行って、いろいろと要請すると、マネージャーは、「私たちじゃダメなんでしょ、部長と話しする？」と言って、部長とセットしてくれ、私は、部長・マネージャー・現場責任者の三人と話しした。

だが、私の気づきえないことがいっぱいあった。

二〇二三年二月二八日

〔6〕会社側の分断策動に、私の気づきえなかったことがいっぱいあった

会社側は、私と他のパート労働者たちとを分断することに必死になった。だが、職場で起こっていることに、私の気づきえなかったことがいっぱいあった。

会社側は、私と、とりわけ昼番のけっこう元気のいい女性のパート労働者たちとを分断するために、私の勤務を、――それまでは、私は、早番・昼番・遅番のすべての勤務をやっていたのを、――遅番だけに限定してきた（ひと月の合計労働時間は同じだが）。会社側のこの目的は、すぐにわかった。しかし、彼女らといつでも話しできる、と私はこのことのもつ意味を甘く見ていた。その意味に、事態が生起してはじめて、私は気づいた。

昼番のとりわけて元気のいい二人のパート労働者が、鬱積する不満を、マネージャーと現場責任者とにぶつけ、ぶつかっていた。このことを、彼女らが会社側の策略によって退職を決意するまでに追い詰めら

れたときになって、はじめて、私は知った。そのときになってはじめて、彼女らは、私に、マネージャーや現場責任者からひどいことをいろいろやられたんだ、としゃべったからであった。

私は、しまった、と思ったが、遅かった。

彼女らは、マネージャーや現場責任者と怒鳴りあいをやっていた、ということを、他の労働者から、私は聞いた。彼女らのほうからも、そうとうぶつかっていた、ということである。これは、私が支社長・管理者たちに要求を突きつけたことに彼女らが力をえて、ものすごく元気になり、奮い立ったからである、と私には思われた。しかし、本人たちは、自分がどうなっているのかを自覚しえず、私に相談する、という気はまったく起こらなかったのだ、と思われた。

会社側は、二人のうちのベテランの労働者が、マネージャーから、午後三時までで勤務が終りなのを「五時まで残れないか」と要請されたことにたいして、「子どもがいるので、四時までなら残れますが、五時までは無理です」と答えたということをもって、会社の要請を断った、という理由をつくり、ベテランのパート労働者たちについてはみんな時給を引き上げたのに、一人だけ据え置く、という仕打ちを、彼女にやってきたのであった。会社側は、こういうことを仕組んだのだ、といえる。契約更新の面談で、彼女が時給を上げてほしいと要請したことにたいしては、マネージャーと現場責任者から、人格を傷つけるようなことを言われつづけた、という。

彼女は退職を決意した。もう一人の労働者も、「それなら私もやめる」と退職を決意した。

私は、部長に話し合いを申し入れ、部長・マネージャー・現場責任者の三人を前にして、彼らに抗議し、当該のベテランのパート労働者の時給を引き上げることを要請したが、こじあかなかった。

私は、あまりにもぼんやりしていた。

このことの根拠は、ずっと抑えつづけられてきた労働者たちは、自分たちの仲間が現にたたかったのを見て、自分たちには力があることに気づき、よし、やれる、やろう、と奮い立つのだ、ということ、しかし、自分がそうなっていると気づかないのだ、ということ、このことを、私は自覚していなかったことにある、と思う。私は、そう思いしらされた。

そしてまた、彼女らは、元気になり、管理者たちに怒りを燃やしている、その意識の真っただ中なので、会社側から、ベテランの労働者のなかでは一人だけ時給を上げてもらえない、非難の言葉を浴びせかけられる、となると、会社から自分は認めてもらえない、という意識に駆られ、ひどく傷つく、ということになったのだ、といえる。

彼女らがこういうものにおちいっていくことを突破するためには、私がもっと早く気づき、自分たちの労働とはどういうものなのか、会社とは何なのか、これにどう立ち向かうべきなのか、ということについて、それへの階級的自覚を促す論議をやっていかなければならなかったのだ。

また、このことの他面では、彼女らが怒りをぶつけるようになると、管理者たちは、自分の言うことを従順に聞いていた者がとつぜん自分に歯向かってきたと感じて、彼女らに脅え、何としても自分の目の前から彼女らを排除する、という行動にうって出てくる、ということなのである。抑えつけている者たちは、自分たちが抑えつけている労働者たちに脅える、その脅え方はものすごい、と私は感じた。彼らは、私のように、理性的に考え、いろいろと気を配りながらたちむかってくる者にたいしては、階級的本能につきうごかされながら、会社防衛の立場にたって、理性的に対処策を考えて行動するけれども、わきおこる感情に駆られてぶつかってくる労働者には、もう感性的に脅えてしまい、管理者である自分を守るという意識に支配されて、その労働者を切って捨てる、というように向かうものなのだ、ということを、私はつかんだ。

われわれが自分自身の感情に揺さぶられて、管理者にたちむかうのは、きわめてやばいのだ。

これとは逆に、われわれが管理者を恐れる気持ちを残していて、管理者からつっこまれたことに、パッとひくかたちでその場をとりつくろったり、対応不能におちいって話をそらしたり、あるいはまた、チェッといやな態度をとったりするのも、やばいのだ。この人はこの程度なのか、と見くびられてしまうか、あるいは、この人は何を考えているのかわからない、と感情的に怖れられ・さけられてしまうかすることになるからである。われわれは、管理者にたいしては、——労働者仲間にたいしては当然のことであるが、——つねに、まともに対応しなければならない。

さらに、顧問は、やめさせられようとしているパート労働者を守るために動いている私に対抗して、この私を封じ、あくまでも人件費を削るために労働者たちをしめあげる、というように、策をめぐらしていた。あとになって、顧問が現に動きだして、顧問がこんな悪（わる）だ、ということに、私は気づいた。

また、会社側は、私がパート労働者たちをまとめているのを突きくずすために、昼番の仕事の良くできるパート労働者を、その人ひとりだけ時給を高くして、会社側の意向に沿うかたちで仕事を指揮するように、育てていた。このことも、彼女が現にそういう行動をとるようになって、——もちろん、彼女は仕事をよく知っており、気配りもできるので、昼食づくりのときには仕事をまわしている、ということはわかっていたが、——私は気づいた。

その後には、いま二つ挙げたことがらにどう対決していくのか、ということを、私は迫られたのである。このことについては、また別の機会にするとして、次には、左翼フラクションを創造しなければならない、ということについてのべていきたい、と思う。

二〇二三年三月一日

〔7〕職場闘争をたたかうための左翼フラクションを創造しよう

私は事態が悪化してからしか気づかず失敗したのであったが、私とは勤務時間帯の異なる・元気のいい二人の女性のパート労働者が、マネージャーと現場責任者に、鬱積する不満をぶつけていたのであった。これは、彼女らみんなと意志一致したうえで、支社長・部長・顧問・マネージャー・現場責任者の五人を前に私が要求を突きつけたという、私の報告を聞いて、彼女らがものすごく元気になり奮い立ったからである、と思われる。

このことを、私が、その最初のころに気づき、彼女らと、マネージャーや現場責任者とどのように話していけばよいのか、ということをめぐって論議し、そのように論議する場であり・そのように論議して組織的に連携していくものとして、私は彼女ら二人と自分とで、左翼フラクションを創造しなければならなかった。

この左翼フラクションは、職場闘争をたたかうための組織である。学習会ではない。現在の、労働組合のない職場の諸条件のもとでは、ほとんどのばあいに、学習会を組織することはできない。職場で一番不満を抱いている労働者たちに、この現状を何とかしたい、というバネを創造しないことには、彼らに、何らかのものを学習する、という意欲それ自体をつくりだすことができないからである。

だから、われわれは、一人で、先頭にたって職場闘争をたたかい、これを見て勇気を奮い起した労働者たちにわれわれは働きかけ、彼らを組織して左翼フラクションを創造しなければならないのである。

のちに退職に追いこまれることになった・昼番のベテランのパート労働者が、マネージャーから、午後三時で仕事が終りなのを「五時まで残れないか」と言われ、「子どもがいるので四時までは残れますが、五時までは無理です」と答えた、ということを、私はその時点でつかまなければならなかった。これは、この労働者をやめさせるための会社側からの策略であり罠であったということが、あとでわかったのであったが、このことそれ自体が、夕食づくりの労働者に大きな労働強化を強いるものだったから（すでにやめた労働者がいるのに、人員を補充しないということだったから）である。

九〇人余りの入所者の料理をつくるのだが、調理師ないし栄養士がメインの料理づくりをはじめていたうえで、四時から六時までのあいだに、その労働者をふくめて三人で、その仕上げと盛り付けを、すなわち、常食・刻み・超刻み・ミキサーというように形態別に分けて切り刻んだりして盛りつけ、ワゴンのなかのそれぞれの入所者のお盆にのせていくという作業をやる、というのが基本的な体制（労働配置）なのである。それを、ひと月のうちの何回かは、四時から五時までは三人だが、五時から六時までは二人でやらせる、というシフトを組む、ということなのである。こんなことをやられると、遅番である私はたまったものではない。

私は、管理者たちにたいして、「話しを聞いたけれども、これはなんだ。人を入れてくれ」という闘争をやり、当該の話をされたベテランの労働者ともう一人の経験の浅い労働者とに呼応してもらう必要があったのである。

こういうことを意志一致し、こういうことをなしうる担い手へと彼女らを引き上げていくための組織として、左翼フラクションを創造し、この三人が集まって論議することが必要だったのである。

そして、この論議で、なぜ会社はこんなことをやってくるのか、なぜ会社は人を入れないのか、なぜ労働者はこんなに苦しめられなければならないのか、というようにほりさげ、それは、労働者は自分の労働力を商品として売らなければならないからなんだ、そうせざるをえないのは、生産諸手段を奪われたからなんだ、こういうわれわれ労働者の労働は疎外された労働なんだ、このような社会をその根底から変革しよう、そういう闘いをやる主体として自分をつくりだそう、というように論議し、彼女らの意識を一挙に高め、プロレタリアとして自覚することをうながすことが必要なのである。

もちろん、自分の過酷な仕事が少しでも軽くなったり他の労働者との人間関係が少しでも改善したりすることに関心がとどまり、右のようなことをなかなかつかみえない、という労働者もいれば、ほりさげて論議していくことにぐいぐいと食らいつき、よしやるぞ、と決意する労働者もいる。その労働者が何に関心をもち、どのように・どれだけ食らいついてきているのかを見きわめ、それぞれの労働者をたかめ鍛えあげていくことが必要なのである。

二〇二三年三月二日

〔8〕 労働者階級を階級として組織するために職場の労働者たちを変革しよう！

職場のパート労働者たちと話しして私が管理者たちに要求を突きつけたこの闘いに元気づけられて、私とはシフトが違う二人のパート労働者が奮い立ち、マネージャーと現場責任者にぶつかっていた、ということに、彼女らが退職に追いつめられるまで、私は気づかなかった。

私がこうなったのはなぜなのか。このことをずっと考えてきた。

それは、この当時には、私は、自分の闘いを、労働者階級を階級として組織するために職場の労働者たちを変革するのだ、というかたちでは考えていなかったことがその根拠をなす、と私は気づいた。

私の組織的目的という側から言えば、新たな反スターリン主義組織の担い手を創造するために、私は職場闘争をたたかった。

管理者やベテラン調理師にいじめられたり、細かいことをいっぱい覚えなければならなにことにお手上げとなったりして退職に追いこまれそうになっているパート労働者に気づき、その人を手助けし、管理者から守るという闘いを私はやってきた。このような闘いを実現するために、私は職場の労働者それぞれに働きかけるとともに、何か問題があれば、その労働者が私に言ってくる、という関係をつくりだすように努力してきた。

このような日常的な闘いにおいて私が必死になったのは、管理者たちからのさまざまな強制によって追いつめられている労働者を守るために、管理者たちの前に私が立ちはだかるとともに、この労働者が、自分に迫ってくるものにもちこたえ立ち向かっていくように、労働者的自覚を促しおったてることであった。しかし、私とともに管理者たちに立ち向かっていく主体として鍛えあげることのできた労働者はいなかった。

これと同時に、このような日常的な闘いをおこないながら、この日常闘争をとおして、私は、新たな反スターリン主義組織の担い手として育てうる労働者を発掘しつくりだすことを追求したのであったが、それは、どうしても限界にぶちあたった。それぞれの労働者には、その労働者をとりまく現在の諸関係と、その労働者がたどってきた苦難の生活・あるいは・すさまじい人生が沈殿していたのだからである。

この限界を突破するために私がいま考えているのは、われわれが職場で諸活動をくりひろげる・われわれの組織的目的を、わが反スターリン主義組織の担い手となりうるメンバーを創造するために、と設定するばかりではなく、労働者階級を階級として組織するために職場の労働者たちのすべてをそのそれぞれのメンバーにふさわしいかたちで変革する、というように設定すべきではないか、ということである。

革命運動は、場所的現在的には、前衛党組織づくりとして実現されなければならない。この意味において、われわれは、職場闘争を、そして職場での諸活動を、わが組織の担い手を創造するために、目的意識的に遂行するのでなければならない。しかし、現在の階級情勢のもとでの個別の職場では、そのような将来性をもった労働者がいるとはかぎらない。いや、職場の労働者をわが組織の担い手となりうるメンバーへとつくりだしていくためにも、われわれは、労働者階級を階級として組織する、という目的意識をもって、職場のすべての労働者をそのそれぞれのメンバーにふさわしいかたちで変革していくために、職場闘争を展開し、イデオロギー的＝組織的にたたかいぬくべきである、と私は考えるのである。

われわれは、職場の労働者たちに、労働者としてたたかおう！　労働者として団結しよう！　というように語りかけ、話しする。われわれがこのように語りかけることは、労働者階級の自己解放をかちとる主体として・ともに自分をつくりだしたたかいぬこう！　労働者階級の自己解放をかちとる主体としてわれわれは団結しよう！　ということでなければならない。

われわれは、われわれが職場でたたかう・われわれの組織的目的を、労働者階級を階級として組織するために職場のすべての労働者をそのそれぞれのメンバーにふさわしいかたちで変革する、というように構想すべきなのであり、この労働者に、労働者階級の自己解放をかちとる主体として自分をつくるのだ、という意欲とバネをつくりだし燃えあがらせ、自己変革を促していくのでなければならない。

私は、自分の諸活動の反省に立脚して、こう考えるのである。

二〇二三年三月七日

〔9〕　人間は自分が体験したことしか理解できないのではないだろうか

人間は自分が体験したことしか理解できないのではないだろうか。私はこの感を強くした。

われわれが、労働組合のない職場で、実質上労働者を代表する者として管理者たちとたたかう、ということについて、および、職場の労働者と、そのメンバーを共産主義者＝革命家へとたかめる論議を現にやる、ということについてである。

私は、こういうことについていろいろと書いてきたのだが、なかなかそういうものとしては理解してもらえない。

前者の問題について。

実際に自分が管理者たちと渡り合わないことには、なかなかわからないのではないだろうか。実際に自分がやって、その感覚をつかまなければならないのではないだろうか。感触というものがある。

こちらは、無力な一パート労働者である。むこうは、契約更新時を待ちさえすれば、いつでも、契約を更新しないというかたちで首を切ることができる。いくら自分が仕事ができたとしても代わりはいる。他面、管理者にたいして、自分がなあなあでお願いしていたのでは、職場の労働者を変革することは決してできない。現に自分がたたかい、この姿を見せないことには（こうやったよ、と報告することをふくめて）、職場の労働者が変わることはない。

われわれは、自分が実際に管理者と話しし、闘争し、相手の反応を見て、この人間はどう判断し、どういう感情を抱いたか、上にどのように報告するか、どこまで上がるか、責任ある者はどう判断し、どう出てくるか、ということを、感触としてつかむのである。話したあとに、相手がどういう返答をよこしてきたか、どういうはねっかえりがでてきたか、ということを見れば、そうとうのことがわかる。これは、自己を訓練することである、と私は思う。

こういうことを、その当事者ではない者がつかむのは大変なのではないだろうか。どうしても、自分が体験したことや自分がそれまでに眼前にしたことを道具立てにして、それを見てしまうことになるのではないだろうか。

後者の問題について。

自分が職場闘争をたたかい、これに応えた労働者に、「労働者階級の自己解放をかちとる主体になろう。プロレタリア世界革命を実現する主体になろう」、というように、現にこういう言葉で論議しオルグしよう、と私は言っているのである。しかし、なかなか、このようには理解してもらえない。

これまでの革マル派の組織建設のなかで教育されてきたわれわれは、こういうようにやるのが怖いのである。感性的に怖い、と同時に、職場で起こった問題を出発点にして、こういう・労働者階級の自己解放の問題に下向していく、という下向分析的思考法と理論的なものを体得していない、ということが、われわれにはあるのである。これを自覚的に突破することが必要なのである。私は、いま、こう考えるのである。

黒田寛一といえども、自分が体験していないことをつかむのは大変なのではないだろうか。

『実践と場所』にでてくる体験談は、小学生の頃のものである。ショパンの葬送行進曲というような体験である。当時は五年制だったと思うけれども、中学生の時の学校教育での体験が具体的に語られていたという記憶は、私にはない。

軍国主義教育をやってくる教師や軍人教官とたたかった、というようなことは、語られてはいない。黒田は、まじめな・よく勉強する児童であり、生徒であり、学生だったのではないだろうか。とうぜん、疎外された労働の経験はない。

そうすると、晩年になって、組合のない職場でわが仲間が管理者と一人で闘争する、ということをつかむのは大変なのではないだろうか。

二〇二三年三月八日

〔10〕感性が豊かであることと内面が豊かであることとは、必ずしも一致しない

感性が豊かであることと内面が豊かであることとは、かならずしも一致しない。生起した事態や人物やまた自分自身について自分が感じたこと、その感情・情感・情緒がきめ細やかで多面的であり、それを表現できることは、感性が豊かである、と言えるけれども、このことは、そのようにできるひとが、自分自身をふりかえり反省することができるか否か、ということとは何ら関係がない。

前者は、自分の外界であれ自分の内面であれ何らかのことがらについて自分自身にわきおこったものを直接的に表出することであるのにたいして、後者は、自分の実践や自分の内面的なものを対象化することを基礎にして、これを、自己の生産物との関係において凝視し否定しのりこえることだからである。

だからまた、人間の内面を豊かに文学的に描いたり、人間の内奥を深く心理学的あるいは精神病理学的にえぐりだしたりできるひとが、自己反省できるとはかぎらない。私は、文学者や心理学者やまた精神病

理学者が自己反省した、という文章を見たことがない。

たとえドストエフスキーを読んだとしても、――人間の内面の動きを対象的に知り感動するという意味において意義はあるとしても、――自己反省することのできる組織成員になることはできないのではないだろうか。

マルクス主義者だけが、実践的唯物論者だけが、自己反省することができるのではないだろうか。

二〇二三年三月九日

〔11〕 運動をつくる、と発想することと、闘争する、と発想すること

多くの人は、運動をつくる、要求を実現する、と発想する。多くの人は、運動をつくるために・どういうことを提起してどういうことをやればいいのか、とか、要求を実現するために・どうすればいいのか、とかというように頭をまわす。

それを聞くと、私は、エッ、そんなふうに頭まわすの？　と感じるのである。ウーン、そうじゃないけどなあ、と思うのである。

イヤー、要求をつきつけて経営者・管理者と闘争するんだよ、たたかうんだよ、と思うのである。自分が彼らと闘争し、そうすることをつうじて、労働者階級の自己解放を実現するぞ、と決意する労働者をつ

くりだすんだよ、すなわち、自分がなぜこういうようにたたかうのか、ということを職場の労働者たちと話しして、この労働者たちに、労働者階級の自己解放をかちとる主体へと自己を変革する、という決意をうながすんだよ、と私は思うのである。あくまでも、われわれの組織的目的は、労働者階級を階級として組織するために職場の労働者たちをプロレタリア的に変革することにある、と私は考えるのである。

われわれは、学習会ではなく、左翼フラクションを創造しなければならない。われわれは、何らかの本や既存の文書を使って、そこに組織した労働者たちを教育するのではない。職場でどのようにたたかうのかということを出発点にして、その労働者たちに自覚をうながすための文章を自分が書き、その文章を提起して彼らを教育するのでなければならない。なぜなら、職場の問題を出発点にして下向的に展開するのでなければ、彼らを、自己を否定するかたちで思想的にたかめることはできないし、自分自身が、そのように下向的に、彼らを労働者階級の自己解放の主体へとたかめる内容を展開する理論的＝論理的能力を身につけるのでなければ、左翼フラクションに組織した労働者たちを変革することは決してできないからである。

二〇二三年三月一〇日

〔12〕われわれは職場の労働者とともに管理者とのイデオロギー闘争にうちかたなければならない。これが団結の力である

われわれは、労働組合のない職場でたたかうのであれ、組合員としてたたかうのであれ、管理者と、柔軟に・かつ・徹底的に話ししなければならない。

これはイデオロギー闘争である。われわれは、一労働者としてであれ、組合員あるいは組合役員としてであれ、管理者とのイデオロギー闘争に勝利しなければならない。

われわれは、面々相対する管理者に、賃金の引き上げを要求するとしよう。管理者は、わが社はもうかっていないとか、この職場は赤字であるとか、もっと売り上げを上げないことにはとか、私では判断できないとか、というように、いろいろと言い逃れをしてくる。われわれは、それのおかしさを一つひとつ明らかにしなければならない。追いつめつくす必要はない。相手が自分に恨みを抱かない程度のところで、相手が逃げたことを明らかにすればよい。

問題は、職場の労働者たちに、管理者とこのように話ししたということをリアルにつたえ論議することである。管理者はこういうように逃げたんだ、これは、会社というのは資本であるからなんだ、と話ししていくのである。

と同時に、職場の労働者たちに、管理者がこう言ってくるのはこうおかしく、こうあばきださなければならない、ということを徹底的に教育しなければならない。これが重要なのである。この内容は、切り返しとか、ブルジョア的常識を基準としたものとかというものであってはならない。論理的にも唯物弁証法的であり・われわれ的なプロレタリア的価値意識を貫徹したものでなければならない。そうでなければ、労働者たちをたかめることはできない、と同時に、自分自身をこわしてしまうことになる。

われわれは、話しした職場の労働者たちに、管理者の言うことがこうおかしく、こう批判するのだ、ということをつかみとり自分のものとすることをうながさなければならない。そうすることによって、彼らや彼女らに、自分も管理者に言っていけそうだ、という自信をつけ、意欲とバネをわきたたせなければならない。

このようにして、われわれを先頭にして、労働者たちが少しずつであれ管理者に言っていくことが、労働者の力となるのである。われわれが管理者とやったイデオロギー闘争の中身を、労働者たちに提起して、彼らを教育し、みんなで意志一致して動きだすことが、労働者の団結となるのであり、これが経営者・管理者たちにあたえる力が、労働者の団結の力なのである。

実際にこのようにたたかい、管理者と闘争し、これをみんなで総括し確認することをとおして、職場の労働者たちは、自分たち労働者の団結の力を実感するのである。われわれは、彼らに自分たちの力を実感し自覚することをうながし、自分たちの実践をとらえかえし反省し、自分自身をたかめていくことをうながしていくのでなければならない。

このことを積み重ねていくことをつうじて、われわれは、彼らに、自分自身を労働者階級の自己解放をかちとる主体としてたかめていくのだ、という自覚とバネと意欲をわきあがらせ、彼らを鍛えあげていくことができるのである。それと同時に、自分自身が、あらゆる論者や党派やスターリン主義そのものをその根底から批判する論理的＝理論的能力を体得することができるのであり、労働者たちをプロレタリア的に変革していく力を身につけることができるのである。

二〇二三年三月一一日

二　組合役員であるわが党員の闘い

〈1〉わが党員が組合役員とならないことを大前提とした・晩年の黒田寛一の労働運動論

「連合」傘下の労働組合において、われわれは組合員として・あるいは・組合役員として闘争をいかにくりひろげるべきなのか、その指針と諸活動を、われわれは解明していかなければならない。

そこで、われわれは組合役員としていかに、というように問題をたてていろいろと考察しようとすると、不思議なことがらにぶつかる。黒田寛一は『労働運動の前進のために』（こぶし書房、一九九四年刊）において「労働運動論」という節をもうけて論じているのであるが、そこでは、われわれが組合役員であるばあいの問題がまったくでてこないのである。あたかも、われわれが組合役員となることがまったくないかのようなのである。

そこでは次のように展開されている。

「労働運動づくりと党組織づくりの接点的実体として存在論的には位置づけられるところの革命的フラクション、これを基礎にして、具体化された方針（組合運動方針および組合組織強化の方針）を基準にして、組合内に、また組合執行部内に《反執行部フラクション》を、前衛党員としての組合員はつくりだすべきである。既存の労働組合を運動の主体にしながらも、つくりだされたこの《反執行部フラクション》を実体的根拠にして、党員としての組合員たちがイデオロギー的＝組織的闘いを展開し、運動の組織化をおしすすめてゆくならば、労働運動の戦闘的で左翼的な推進は可能になる。こうした組合内左翼フラクションを根拠としない単なる反幹部闘争は、はね上がり闘争形態をとることになる。」（一三九頁）

これは奇妙な展開である。なにがなんだかわからない。

「組合執行部内に《反執行部フラクション》をつくりだす」とされているのであるが、《反執行部フラクション》は、執行部に反対するフラクションなのだから、組合執行部内にそれをつくりだすことはできない。それは、執行部の外につくりだすのであり、執行委員であるわがメンバーがひそかにそれの構成員となることがある、といいうるのみである。

だが、もしも、執行委員となっているわがメンバーがいるのだとするならば、一番悪い組合幹部に反対するかたちで《反委員長フラクション》あるいは《反書記長フラクション》といったものを執行部の内外につくりだすべきなのである。もしも、組合幹部たちが社会民主主義的イデオロギーをもっていたとしても組合主義的にふるまい悪質ではないのだとするならば、わがメンバーは執行委員として積極的にイニシアティブをとるべきなのである。そして、つくりだすべき左翼フラクションにかんしては《組合を戦闘的に強化するための左翼フラクション》とすべきである。

さらに、「既存の労働組合を運動の主体にしながらも、つくりだされたこの《反執行部フラクション》を実体的根拠にして、党員としての組合員たちがイデオロギー的＝組織的闘いを展開し、運動の組織化をおしすすめてゆくならば、労働運動の戦闘的で左翼的な推進は可能になる」、というようなことはできない。これは、「ならば」という仮定の理論展開である。

当面する組合の闘争を戦闘的で左翼的に展開するためには、組合内左翼フラクションを実体的基礎にして、わが党員が組合員あるいは執行委員として、これまでの組合の方針を左翼的に修正する方針を提起してイデオロギー的＝組織的にたたかい、組合の大会あるいは執行委員会において、この修正した方針を採択しなければならない。そして、この方針にのっとって運動を組織し展開するのであり、この運動の展開過程において、わが党員は組合員あるいは執行委員として、さらにイデオロギー的＝組織的にたたかうのである。

もしも、組合大会あるいは執行委員会での方針の決定ということをぬきにして、直接的に、「つくりだされたこの《反執行部フラクション》を実体的根拠にして、党員としての組合員たちがイデオロギー的＝組織的闘いを展開し、運動の組織化をおしすすめてゆくならば、」この運動の組織化は、既存の労働組合を主体としないものとなるのであり、組合執行部が組織する運動との分断をもたらすこととなるのである。この運動の組織化は、フラクションとしての労働運動という偏向としてあらわれることになるのである。

この意味において、晩年の黒田のこの論述は、意味不明であるか、それとも意味をもっているのであるとするならば、フラクションとしての労働運動の理論化をなす、ということになってしまうのである。

このようになってしまったのは、わが党員が組合役員としてどのように指針を提起し、この指針にのっとって諸活動をくりひろげるのか、ということの解明を、黒田がみずからの理論展開から排除してしまったことにもとづく、と私は思うのである。すなわち、それは、わが党員は組合役員とならない、ということを大前提として、黒田が発想していることを根拠とする、と私は考えるのである。

わが党員が組合役員となるならばその党員は変質してしまう、というように、晩年の黒田は、わが党員が組合役員となることを忌み嫌っていた、と私はどうしても感じるのである。

二〇二三年三月一五日

〔2〕「連合」傘下の組合で、わがメンバーが組合役員を担っているばあいの闘い

わがメンバーは労働組合の支部の書記長をやっており、組合主義者の支部委員長と連携をとって、支部執行部を、そして支部そのものの運動を牽引しているとしよう。この支部の上部機関の幹部は、右翼社会

民主主義的イデオロギーをもつ組合主義者であり、この組合が所属する産業別労働組合連合体は、労働貴族が牛耳っているとしよう。

当該の企業の経営陣は、オンラインで全社的に結ばれたコンピュータシステムを導入し、これまでの・コンピュータを使いつつも手で機械や材料を動かす必要のあった諸作業を削減する、という攻撃にうってでてきた、とする。上部機関の幹部は、これをうけいれたうえで、会社からこういうことが提案された、今後こういうように実施されるはこびとなる、というように、支部におろしてきた、とする。

わがメンバーは支部書記長として、支部委員長と協議して、ただちに、上部機関から伝えられた会社の提案内容を支部の組合員たちに伝達し、職場において何がどう問題となるのかということを論議しなければならない。誰それの仕事がなくなってしまう、誰それの仕事はこう変わってしまう、というようなことが、それぞれのチームおよびそれぞれの労働者において問題となるのである。こういうことを洗い出し集約して、会社側が狙っている、組合員である労働者の削減と、技術性の高い新たな労働者への入れ替えを阻止するためには、どういう仕事を残し、また現在の労働者が新たな技術性の高い仕事を体得するためにはどういう訓練を必要とするのか、ということなどをみんなで構想しなければならない。

これは、会社側が策している直接的生産過程の合理化案を、その基本線についてはのんだうえで、労働者の犠牲を少しでも食い止めることを目的とするものである。産業別労組の労働貴族どもが独占資本家どもにつき従って産業政策を策定し、当該組合上部機関の幹部が会社の提案をうけいれているという諸条件のもとでは、組合員である労働者たちにうちおろされてくる過酷な強制の一つひとつをおしかえしていくことが肝要なのである。

わがメンバーは支部書記長として、これらにかんするもろもろのことがらを集約し、それを上部機関の幹部たちに提起して、こういう諸点にかんする是正を、会社側との折衝および団体交渉の場で要請してほしい、また団体交渉の場では自分も当該の支部の書記長としていっしょに発言していきたい、ということを幹部たちに説得しなければならない。わがメンバーは、支部書記長として、職場の労働者たちの仕事の具体的な問題を具体的に提起して幹部たちを説得し納得させる論理的＝理論的能力を体得すること、そして支部書記長として支部および組合全体における自分の地歩を築きあげることが、必要なのである。

わがメンバーは支部書記長として、支部の組合員たちに、自分が上部機関の幹部たちと話した中身を、そのやりとりをふくめて具体的に提起し、みんなで問題となることを洗い出しその対策をねったことが幹部たちをおったてることにこんなに役立ったということを明らかにして、自分たちの実践の成果を確認する、とともに、自分が幹部たちの構えと意識をひっくりかえしていった論議のやりとりを組合員たちにつかむことをうながし、彼らの労働者的意識をたかめ、団結を強化していくのでなければならない。

これは、「連合」傘下の労働組合であることに規定されてゆがめられている労働組合としての団結を、その内実をひっくりかえし、質的にたかめていく闘いなのである。と同時に、労働者階級を階級として組織していくために、組合員の階級的意識をたかめ、労働組合というかたちでの労働者の階級的団結を強化していく闘いなのである。

わがメンバーは支部書記長として支部におけるこのようなイデオロギー的＝組織的闘いをくりひろげることを基礎にして、直接的には、会社経営陣の目論む・組合員である労働者たちへの過酷な労働の強制をおしかえしていく、とともに、労働者階級を階級として組織していくために組合員たちに自己の変革をうながしていく、という・われわれの組織的目的を実現していくのでなければならない。

二〇二三年三月一五日

〔3〕会社の管理者との労働組合役員としての交渉

その労働者たちが当該の労働組合支部の構成員であるところの労働部門、この労働部門の長である管理者と、わがメンバーは支部書記長として——支部委員長とともに——交渉しなければならない。

会社側の提案の内容を、この労働部門の労働者たちが現にやっている労働と照らしあわせて浮かびあがってきた諸問題にかんして、わがメンバーは支部書記長としてこの管理者に聞き、——わからないことにかんしては持ち帰って検討して後日返答することを要請して、——労働者たちに過酷な犠牲を強いるものを摘出し、その是正を求めることが必要なのである。このようなことをおこなうために、わがメンバーは、会社側の提案の内容や管理者の返答の内容を、労働者たちの現にやっている労働との関係において分析する分析力、問題となってくることを想像し摘出する想像力、そして会社側の意図するものを封じる方法を構想する構想力などを——労働過程の諸労働を分析するための労働にかんする諸理論とともに——体得しなければならないのであり、そして、書記長として自分が言ったことを、その管理者の頭をまわさせるかたちで彼の頭に焼き付けていくだけの論理的＝理論的能力および他者との関係のつくり方における強さを身につけることが必要なのである。

組合の上部機関がコンピュータシステムの導入をうけいれることを決定している以上、そして彼我の力関係からして、支部執行部としてはそれそのものをはねかえすことはできないのであり、労働者の犠牲をどこまで・どのように食い止めることができるのかということが、勝負となるのである。

わがメンバーは支部書記長として、組合員たちに、管理者との交渉のこのやりとりを具体的に明らかにし、管理者が是正を約束した点については、支部の組合員たちの闘いの成果として確認するとともに、会社がこういうことをやってくるのはなぜなのかということを、その根拠へとほりさげていくかたちで提起し論議して、組合員たちの階級的自覚をたかめていくのでなければならない。

組合員から、心配なこととして出されたことについては、すぐに管理者に提起して交渉し、その交渉のやりとりを組合員たちにつたえ論議する、ということを、くりかえしくりかえしおこなっていくことが肝要なのである。

二〇二三年三月一六日

〔4〕「連合」傘下の労働組合での執行委員の強化と左翼フラクションの創造

「連合」傘下の・右翼社会民主主義的イデオロギーが貫徹されている労働組合において、わがメンバーが支部書記長として、組合主義者である支部委員長とともに、支部執行部および支部の運動を牽引している、という主客諸条件のもとでは、わがメンバーは支部書記長として、会社側の攻撃をおしかえしていく闘いのイニシアティブをとるとともに、支部の執行部およびそれを構成する執行委員たちを強化していくために、支部の執行委員会の会議や種々の打ち合わせの論議を、その質をたかめるかたちにおいて組織していかなければならない。

このばあいに、わがメンバーは、いろいろな思想的傾向や組合活動上の癖をもつ執行委員たちを、執行委員会というこの表場面(おもて)での論議で変革していくのだ、という構えと強い意志をもち、その論議をどのようにやっていくのか、ということを構想し実現することが肝要である。支部執行委員会というような組合の下部機関においては、執行委員たちはたとえどのような思想的傾向をもっていたとしても、わがメンバーに太刀打ちできるようなイデオロギー性をもっていないのを常とする。

むしろ彼ら執行委員たちは、組合員たちから質問されたときに自分が答えられないことを恐れ、組合員たちと話すことにビビる傾向をもつ。自分がビビっていることを相手の組合員たちのせいにして、組合員たちはどうしようもない、という評価を下すことにもなるのである。

このような執行委員たちを変革していくためには、わがメンバーは書記長として、当面する組合的課題にかんする支部の方針＝見解（支部の組合員全員に配布するもの）を、わかりやすく・組合を労働者的に強化するイデオロギー的内容を鮮明にするかたちで・書き、これを執行委員会で読み合わせて、執行委員たちがこの内容を自分でしゃべることができるまでに、彼らにその主体化をうながすことが必要である。執行委員たちが、よし、これでいくぞ、と自信をもち、自分がそのビラを組合員たちと読み合わせて論議する、というようにもっていくのが肝要なのである。

会社側が提示してきたコンピュータシステムの導入にかんしては、ここをこのようなかたちで仕事を再編するのは、労働者にこのような犠牲を強いるものである、ここをこのように是正するように、組合上部機関と支部執行部は会社側に要請してきた、この是正の要求を実現するために、組合員全員が会社提案の問題性とその是正を実現することの意義をつかみとり、わが労働組合および支部の団結を強化しよう、というような内容を、わがメンバーは支部書記長として展開しなければならない。

次の執行委員会の会議や種々の打ち合わせの論議において、わがメンバーは書記長として、執行委員たちがおこなってきた組合員たちとの論議を集約し、自分がどこでうまく答えられなかったのかを出してもらい、その限界をどのように突破していくのかということを、明らかにしていかなければならない。うまく答えられなかった個々の論点を洗い出し、それが誰のどういう労働にかかわるものなのかということをつかみとり、その労働者の疑問はどこからうみだされているものなのかということを、彼が現におこなっている労働との関係において明かにしていくことが重要である。そしてさらに、こういうことをつかみとって、論議の限界を突破し、組合員たちを労働者的にたかめていくためには、自分自身が、このコンピュータシステムの導入は、会社が会社の利益の増大を図るために労働者をこき使うことを狙うものであり、このコンピュータシステムというものは、労働者の労働を吸収して肥え太る資本というものを体現したものなんだ、このように・労働者が働きかけるものが労働者をこき使うものとなっているこの社会を変えていかなければならない、ということをしっかりとつかんでいこう、というように、わがメンバーは書記長として、執行委員たちに階級的自覚をうながしていかなければならない。

さらに、わがメンバーは、執行委員会でのこのような論議に食らいついてきた執行委員であるメンバーたちや、職場での論議をとおして・今後執行委員になって組合を強化していくことに意欲をわきあがらせてきた若い組合員たちを組織して、組合を労働者的に強化していくための左翼フラクションを創造しなければならない。これは、わがメンバーが、組合員であるにもかかわらずわが党員にふさわしい組織活動を、すなわちフラクション活動をくりひろげて左翼フラクションを創造する、ということにほかならない。

「連合」傘下の・その指導部によって右翼社会民主主義的イデオロギーが刻印されている労働組合においては、基本的には、わがメンバーは学習会組織ではなく左翼フラクションを創造すべきである。組合支部の執行委員たちや組合員たちは、会社経営陣が仕掛けてくる種々の合理化や職場の再編に対決し、これにたちむかっていくというバネをもつことをとおしてはじめて、労働者的な文献を学習する、という意欲をもつことになるからである。しかも、彼らを変革していくためには、不断に、職場で生起する諸問題や自分自身の実践をめぐって論議することが必要なのだからである。

二〇二三年三月二一日

〔5〕 組合を強化するための左翼フラクションにおけるイデオロギー闘争

みずからが、組合を労働者的に強化するという意欲とバネをもった支部執行委員や若い組合員を組織して創造した左翼フラクション、この左翼フラクションの会議や種々の討議において、わがメンバーは、彼らを変革するために目的意識的にイデオロギー闘争＝思想闘争を展開しなければならない。

わがメンバーは、当面する組合的課題にかんして自分が支部書記長として書いた・支部の方針＝見解の案文を、この会議で論議し、その諸成員の意見をねりあわせてその案文を完成させ、この完成案文を執行委員会で論議し執行委員たちを教育して確認すること、そしてこの方針＝見解を書いたビラをもとにして組合員たちと論議していくことについて、意志一致しなければならない。

この意志一致にもとづいて諸成員が実践し、次の会議において、その諸実践を集約し、総括しなければならない。

コンピュータシステムの導入の問題をめぐっては、組合員たちと論議した左翼フラクション成員から、次のような質問がだされることがある。

「理屈をよく知っている組合員から、「〈仕事に見合った賃金〉とか〈同一労働同一賃金〉とかという考え方があるけれども、自分は訓練をうけて新しい仕事につくというほうにまわっていいから、それに見合って自分の賃金を上げるように会社に要求してほしい」、と言われた。自分だけ賃金を上げてほしい、なんて言うのはおかしい、と思ったがうまく答えることができなかった。どう答えればいいか」、と。

このような・ぶつかった問題にかんして、わがメンバーは、〈仕事に見合った賃金〉とか〈同一労働同一賃金〉とかという考え方はどのようにおかしいのか、そして、訓練をうけたのだから自分だけ賃金を上げてほしい、などと言ったら、組合員を分断し・会社に従順な人間をつくろうとしている会社側につけこまれてしまう、組合の団結を強化しよう、ということをはっきりさせなければならない、というようなことを論議しほりさげていかなければならない。このようなことをその場で論議しほりさげることが肝要なのである。

左翼フラクションの成員は、自分が誰と話ししてどこでどのような問題にぶつかったのか、ということを思い起こしてしゃべり、それをめぐって論議し、他の諸成員からいろいろと指摘され深めることをとおして、自分の思想をつくっていくのであり、自分自身を、自分の実践をふりかえり反省することのできる人間へと変革し、たかめていくのである。

この意味において、わがメンバーは、左翼フラクションの成員の思想性をたかめるということを、彼にマルクス主義の一定の文献を——自分といっしょに読み合わせて——学習させ、一定の思想的水準をつくることというように考えてはならない。そうではなく、自分が彼の思想を変革するのであり、自分が彼を思想的に変革するのである。彼に自己の実践をふりかえり、自己を省みることをうながし、おのれがぶつかった問題を考えるためのプロレタリア的価値意識とマルクス主義の諸理論を、自分が彼に付与するのであり、彼はそれを体得するのである。

わがメンバーは、このような思想闘争をその場でおこなわなければならないのである。さらには、この論議を深め、その成員をよりいっそう変革するための文章を自分が書いて、次回の会議で提起して論議しなければならない。文章として書かないでしゃべるだけでは、相手の頭になかなか定着しないからであり、理論的にどのように展開するのかということを相手につかみとらせることができないからである。

したがって、自分が書くこの文章は、相手につかみとらせるべき理論的内容を展開する文章なのではなく、相手を思想的に変革するための文章なのであり、そうでなければならない。

われわれは、左翼フラクションの諸成員を変革するためには、彼らが実践的にぶつかった問題について、彼らがそれをしゃべったその場で下向的にほりさげて論議する、と同時に、さらにそれを深めて文章として展開する、そのような論理的＝理論的能力を体得しなければならない。彼らを、自己の実践をふりかえり反省することのできる人間としてつくるためには、われわれは、自分自身が反省することのできる組織成員にならなければならない。

二〇二三年三月二二日

〔6〕左翼フラクションの成員たちを革命主体へと変革していくために

組合のない職場においてわがメンバーがフラクション活動をくりひろげて創造した左翼フラクション、その成員たちをどのようにしてプロレタリア革命の主体へと変革していくのか、ということを考えなければならない。

わがメンバーは、この左翼フラクションの会議において論議して、「職場のみんなの賃金の・物価の上昇を超える一律の・引き上げをかちとっていこう。管理者と話しして賃上げを要求していこう」、と意志一致したとする。このときに一人の成員が、「じゃー、自分は、管理者から、この仕事をやれば賃金を上げると言われたのに、資格を取ってからの話だ、とうそをつかれた、頭にくるからこのことを言っていこう」、と発言したとしよう。

この発言にたいして、わがメンバーは、「いや、いま論議しているのは、自分の賃上げをかちとろう、ということではなく、みんなの賃上げをかちとろう、ということなんだ。職場の労働者たちが分断されないためには、みんなの、というように考えないとダメだよ」、というように指摘して論議をつくろうとしたのであったが、そのようなかたちで論議をつくってはならない。このように指摘するのは、左翼フラクションの諸成員の方針上の一致を実現しようとするものである。わがメンバーは、「われわれの方針＝戦術の革命性」というような考え方をもっているとはかならずしも言えないのであるが、われわれが解明し自分が提起した方針を理解させることが左翼フラクションの諸成員の変革である、という感覚につきうごかされているのだ、といわなければならない。

だが、われわれの方針（われわれが一労働者として提起した方針）を理解させることが左翼フラクションの諸成員の変革となるわけではない。

われわれは、職場の労働者の意識を引き上げ、労働者たちの分断をもたらさず団結を強化するように、と考えて方針を解明するのである。この方針を提案されて論議した左翼フラクションの諸成員は、職場での自分の体験にもとづいて管理者に怒りを燃やし、提案された方針の内容にとどまらない・いろいろなことを考えるのである。われわれは、それを聞いてつかみとり、それぞれの成員の怒りを階級意識へとたかめるように論議することが肝要なのである。われわれは、彼らを、自分が提案した方針の枠にはめこむような論議をしてはならない。いや、枠にはめこむというのではなくても、論議を、方針上の一致というレベルにとどめてはならない。すなわち、左翼フラクションの成員たちを、彼らに方針内容を主体化させるというかたちで変革したうえで、しかるのちに、彼ら一人ひとりを共産主義者へとたかめていく、というように、われわれは考えてはならないのである。

当該の成員は、管理者から、この仕事をやれば賃金を上げると言われたのに、実際にやったら、資格を取らないとダメだ、と言われた、約束が違う、と怒っているのである。そして、自分は管理者にこのことを言いたい、といっているのである。これは、彼が怒るのは当然であり、このことを言いたい、となるのも当然である。

こういうことを彼が言った左翼フラクションの会議では、わがメンバーは、管理者がこういうことを言ってくるのはなぜなのか、というように、論議を下向的に深めなければならない。そして、資格を取らないと賃金を上げない、というかたちで、会社経営陣・管理者は労働者を、会社のいうことを従順に聞くような人間に仕立てあげようとし、また、資格を取っている・取っていないということで労働者たちを競い合わせ分断することを狙うものである、ということをあばきだしていかなければならない。

このときに、わがメンバーは、「この仕事をするのにそんな資格はいらないのに、そしてまったく同じように仕事しているのに、資格のあるなしで差別するのはおかしいね」、と言ってはならない。このように発言するばあいには、その主体は、当該の成員に確信をあたえることを意図している、と言えるのであるが、実際にやっていることは、自分ではその自覚なしに、「同じ仕事には同じ賃金を」という考え方、すなわち「同一労働同一賃金」という考え方を、彼に付与することになってしまっているのである。「資格のあるなしで賃金を差別してはならない」というような・あるべき賃金とでもいえることを言ってはならないのであり、つねに、「資格を取らないとダメだ」と管理者が言うのはなぜなのか、というように、下向的に問題を提起して論議しなければならないのである。

それと同時に、当該の成員が、実際に管理者と話しするというかたちで実践することが重要である。そうすれば、彼は、管理者がいろいろと言い逃れをし、同じことばかりをくりかえして言う、ということを体験するのである。この実践を、会議で彼に報告してもらい、彼の体験と彼が抱いた怒りをみんなで共有することを基礎にして、管理者がこんな対応をするのはなぜなのか、というように論議していかなければならない。それは、管理者が会社を体現しているからなんだ、会社は機械や材料などの生産手段をもっているんだ、われわれ労働者は生産手段をもっていないんだ、それで自分の労働力を売らなければならないんだ、労働力を買った会社経営陣は、この労働力は自分のものだ、とメチャクチャひどく使うんで、われわれ労働者はこき使われるということになるんだ、われわれ労働者は競い合わされ買いたたかれるんで、労働力の価格たる賃金はこんなに低くされてしまうんだ、こういうようになっていることをその根本からひっくりかえさなければならないんだ、というようなことを、わがメンバーは提起して論議していかなければならない。

左翼フラクションの成員たちがそれぞれ、あるいは何人かで、こういう実践をやるたびごとに、それを報告してもらい、こういう論議をくりかえしくりかえしおこなって、彼らに階級的自覚をうながし、彼らをプロレタリア革命の主体として変革していくことが肝要なのである。

われわれは、左翼フラクションとして組織的に論議しておこなった実践を出発点にして下向的にほりさげ論議していく論理的能力とマルクス主義の諸理論を身につけなければならない。

二〇二三年三月二五日

〔7〕　われわれは現実を変革するために自己を変革するのである

われわれは、おのれに迫りくる物質的現実を変革するために、これをなしうる主体へと自己をたかめるのであり、この自己変革の意志を自己のうちに燃えあがらせるのである。

われわれが組合のない職場に・あるいは・組合の内部に創造した左翼フラクションの成員たちは、職場の・組合の・現実を変革するために、だから、管理者と闘争しうちかつために、そして職場の労働者たち・組合員たちを、いっしょにたたかう仲間として組織するために、そのようになしうる主体へと自己をたかめる意欲と情熱と意志をおのれのうちに湧きあがらせるのである。

したがって、われわれは、左翼フラクションの会議においては、たえず、自分たちが面々相対している管理者や労働者たち・組合員たちを分析し、この分析を深め、管理者といかに闘争すべきなのか、そして労働者たち・組合員たちとどのように論議すべきなのか、という指針をねりあわせて意志一致し、さらに、自分たちがおこなった実践を報告しあって、その教訓を明らかにし、その限界をえぐりだし、自分たちの実践をよりいっそう高度化していくために自分たちを鍛えあげていく論議を組織していくのでなければならない。

二〇二三年三月二六日

三　なにをなすべきか?

〔1〕職場で自分が経営者・管理者とたたかうのである

黒田寛一が生きていた時代を考えよう。

学生戦線で留年して全学連運動を展開したうえで就職し労働戦線に移行するメンバーが多かった。入った職場は、労働組合がないか、組合はあっても会社派幹部ににぎられているかする、ということもまた多かった。職場では、われわれは自分一人である。

こういう主客諸条件のもとでは、自分が経営者・管理者とたたかう、闘争する、と発想し考えなければならない。このようにひとりでに、自分の感覚と体と頭が動くのでなければならない。

「既成の社共指導部によって歪曲されている労働運動を左翼的にのりこえていくために、その運動を規定している方針をつかみとり、その否定を媒介としてわれわれの闘争＝組織戦術をうちだす」というように考えても、それは観念的である。職場にはそのような運動は存在しないからである。職場では、みんなが経営者・管理者に抑えつけられているからである。

われわれは、職場で経営者・管理者と自分がたたかうための指針を自分が解明するのであり、自分がくりひろげる諸活動を自分が解明するのである。自分が経営者・管理者と闘争し、これをとおしてまわりの労働者たちに、ともにたたかうことをうながす、と同時に、自分が、彼らと、彼らをプロレタリア革命の主体へと変革したかめるために思想闘争を展開するのである。われわれは、自分自身がどのように実践すべきなのか、ということを構想することが肝要である、と私は考えるのである。

自分がまわりの労働者たち・あるいは・組合員たちを動かすための方針を考えるのではないのである。「既成の社共指導部によって歪曲されている労働運動を左翼的にのりこえていくために」というように考えているばあいには、既成の社共指導部によって歪曲されている労働運動が現存していることを前提として、その運動を左翼的にもっていく戦術を提起し、この戦術を組織戦術にふまえたものとするならば、この運動をとおしてわが組織の担い手を創造することができる、というように構想している、と私には思えてならない。

日本労働運動総体を考えるばあいには、「既成の社共指導部によって歪曲されている労働運動を左翼的にのりこえていくために」というように問題をたてなければならない、といえる。現にそういう運動が展開されており、一九六〇年代までは、われわれはその運動総体には影響力をおよぼしえないほどに微弱だったからである。

だが、自分が職場でどのように実践するのか、ということを構想するばあいには、そうはいかないのである。

自分がたたかう、というように意志しないかぎり、もしも民同左派的な組合運動の名ごりのある職場に入ったときには、現に動きだしている組合員たちの流れに自分がのっかる、というように、自分の感覚と体と頭がひとりでに動いてしまう、ということになるのである。

二〇二三年五月九日

〔2〕レーニンが労働者に付与するとした「意識性」の中身は何であったか

レーニンは『なにをなすべきか?』で次のように書いた。

「階級的・政治的意識は、外部からしか、つまり経済闘争の外部から、労働者と雇い主との関係の圏外からしか、労働者にもたらすことはできない。この知識を汲みとってくることのできる唯一の分野は、すべての階級および層と国家および政府との関係の分野、すべての階級の相互関係の分野である。」(『なにをなすべきか』国民文庫、村田陽一訳、一二二頁。——本書からの引用はページ数のみを記す。傍点は原文、以下同じ)

これは、レーニンの外部注入論と呼ばれるものである。すなわち、職業革命家集団としての前衛党が労働者にその外部から階級的意識性を付与する、というように特徴づけられているものである。

レーニンの主張をこのように特徴づけることはできるとしても、彼の言う「階級的・政治的意識」「意識性」とはどのような中身であるのか、ということを検討することが必要である、と私は現在的に考える。

これまで、レーニンのこの理論を検討してきた人たちは、彼の言う「階級的・政治的意識」を「プロレタリア的な階級意識」というように理解して論じてきたのではないだろうか。私は、そうではないと論じた見解を知らないし、私も、これまでずっとそう思ってきた。しかし、わが仲間たちが職場でどのようにたたかうのか、ということを論議しているうちに、そしてまた、イタリアのレーニン主義者であるロッタ・コムニスタによるレーニンのうけつぎ方について考えているうちに、一〜二か月前から、はたしてそうなのか、という問題意識を、私はもつようになったのである。

レーニンは、「われわれはいま、労働者は社会民主主義的意識をもっているはずもなかった、と言った。この意識は外部からもちこむほかなかったのである。」（五〇頁）と書いたうえで、次のように明らかにしたのである。これは微妙である。

「近代の科学的社会主義の創始者であるマルクスとエンゲルス自身、その社会的地位からすれば、ブルジョア・インテリゲンツィアに属していた。ロシアでもそれとまったく同様に、社会民主主義の理論的学説は、労働運動の自然発生的成長とはまったく独立に生まれてきた。それは、革命的社会主義的インテリゲンツィアのあいだでの思想の発展の自然の、不可避的な結果として生まれてきたのである。」（同前）

この引用文から、レーニンは、労働者に外部からもちこむべき「意識性」の中身としては、ロシアに移植されたマルクス主義の理論を考えていた、ということがわかる。すなわち、プレハーノフが先頭となってマルクス主義をロシアに移植して創造したところの理論である。

レーニンは「大衆の自然発生性と社会民主主義者の意識性」（四七頁）とを対比し、「経済闘争」の展開を主張する「経済主義」者を「自然発生性への拝跪」（五四頁）と批判して、「専制の打倒の任務を提起し」（五一頁）、この任務を実現する「政治闘争」の推進を対置したのであった。

レーニンの言う「意識性」とは、「階級的・政治的意識」とも表現されているように、この「政治闘争」を推進する意識をさすのであり、彼の主張する「政治闘争」とは、ツァー専制権力を打倒する反権力闘争を意味するのである。

では、「専制の打倒の任務」の中身は何か。

レーニンは言う。

「『共産主義者はあらゆる革命運動を支持する』（『共産党宣言』）のであって、したがってわれわれには、全人民にむかって一般民主主義的任務を説き、これを強調する義務がある――しかも自分の社会主義的信念をただの一瞬もつつみかくすことなく――ことを、実際に忘れる者は、社会民主主義者ではないからである。」（一二六頁）と。

ここからわかることは、レーニンが提起する「専制の打倒の任務」には、「ブルジョア民主主義革命からプロレタリア革命へ」というレーニン型の二段階戦略がつらぬかれており、「専制の打倒」はその第一段階目として位置づけられ「一般民主主義的任務」を実現するものとされている、ということである。彼がみずからの二段階戦略を理論的に定式化して展開するのは、『なにをなすべきか？』よりも少し後で執筆した『二つの戦術』においてなのであるが、彼は革命運動をはじめた最初から、「イスクラ」の同志であったプレハーノフに学びつつ、自分自身のロシア革命戦略を構想していた、ということができる。その戦略の二段階目は、「自分の社会主義的信念をただの一瞬もつつみかくすことなく」というかたちで明らかにされているのである。この「一瞬も」という表現は、『二つの戦術』では、「社会主義的任務の遂行を一瞬たりとも忘れてはならない」というかたちで使われているものなのである。

ここから言いうることは、レーニンは、自然発生性への拝跪を打破するために、職業革命家集団としての前衛党が、「専制の打倒」のために「一般民主主義的任務」を遂行するという戦術を提起して、労働者と農民からなる全人民にこの「階級的・政治的意識」を体得させ、彼らをひっぱる、というように構想したのであって、経済的要求や政治的要求を掲げて決起した労働者や農民にプロレタリア的な階級意識そのものをもつことをうながし、彼らを思想的に変革し階級として組織する、というように考えたのではない、ということである。

私は、レーニンといえども、即自的に闘いに起ちあがった労働者・農民の一人ひとりと、彼らをプロレタリア革命の主体へと変革するための思想闘争をおこなうのは大変だったのだ、という感を強くもつのである。

プロレタリアの自覚の論理を理論的に明らかにした黒田寛一は、現存する労働者にかんしては、わが組織が、組織戦術にふまえた闘争戦術を提起して労働運動を組織し、このような闘争＝組織戦術を体得させることによって労働者をわが組織の担い手へと変革する、と考えたのであって、現に自分の目の前にいる・職場でたたかっている労働者と、彼を自分がプロレタリア革命の主体へと思想的に変革するために論議するのは大変だったのだ、という思いに、私は駆られるのである。

要するに、レーニンといえども日和ったのだから、そのことを自覚してがんばろう、ということである。

二〇二三年五月一〇日

〔3〕「自然発生的な志向から労働運動をそらす」のが前衛党の任務なのか

レーニンは次のように書いた。

「われわれの任務、すなわち社会民主党〔当時の前衛党の名称〕の任務は、自然発生性と闘争すること、ブルジョアジーの庇護のもとにはいろうとする組合主義のこの自然発生性的な志向から労働運動をそらして、革命的社会民主党の庇護のもとに引きいれることである。」(『なにをなすべきか』国民文庫、六三〜六四頁)

「そらす」というレーニンのこの展開は、おかしいのではないだろうか。はたして、前衛党であるわれわれの任務は、「自然発生的志向から労働運動をそらす」ことにあるのだろうか。自然発生性と闘争する、ということは、「そらす」ということとは異なるのではないだろうか。

レーニンの言う「そらす」とは、自然発生的に起ちあがり労働組合を結成して経済闘争をたたかっている労働者たちを、彼らにツァー専制のほうに・すなわち・専制を打倒して「一般民主主義」を実現することのほうに目を向けさせ、政治闘争に引きいれる、ということである。

労働者の自然発生的な経済闘争は「労働者と雇い主との関係」にとどまるものであり、労働者をそこから脱却させるために、「階級的・政治的意識」をその「外部から」、その「圏外から」、前衛党がもたらさなければならない（一二一頁）、とレーニンは考えていたわけである。

だが、そうではなく、労働者に、まさにその「労働者と雇い主との関係」そのものについて考えることをうながすべきなのではないだろうか。

労働者は、自分を経済的に苦しめ生活苦につきおとしている雇い主に怒って起ちあがったのである。労働者に、自分の雇い主とは何なのか、こいつに雇われている自分とは何なのか、と考えることをうながさなければならない。そして、自分の雇い主は資本を体現しているのであり、自分は賃労働者であって、こいつに自分の労働力を商品として売ったのであり、こいつにこき使われて搾取されているのだ、資本が賃労働を搾取するというこのような関係は、直接的生産者から生産手段を収奪した連中が資本家階級となり、生産手段を奪いとられた者たちが労働者階級になったということを根源するのであって、この関係をその根底から転覆するために自分たちは労働者階級として団結しなければならない、ということを労働者たちにつかみとらせなければならない。さらに、彼ら労働者たちに、「一般民主主義」というようなものを希求することを克服し、ツァー専制権力の打倒を、自分たち労働者たちの権力の樹立、すなわちプロレタリアート独裁権力の樹立として実現しなければならない、というように、前衛党とその諸成員は明らかにし、労働者たちの意識をたかめていかなければならない。

レーニンは、こういうことの解明を欠落させていた、と私は思うのである。

われわれは、このことを、レーニンの、労働者階級の階級的組織化論の欠陥としてつきだし、これを克服しなければならない、と私は考えるのである。

二〇二三年五月一二日

〔4〕 レーニンは相手を徹底的にイデオロギー的に批判すべきであったのではないか

レーニンが『なにをなすべきか？』を書いたとき、レーニンは「経済主義」者と対決していたのであり、当然にも彼らと対決すべきであった、といえる。「経済主義」者は、自然発生的に起ちあがり経済闘争を展開していた労働者たちにおもねているだけであった。その彼らを、レーニンは「自然発生性への拝跪」と批判した。彼は、この批判をさらに徹底的に貫徹し、ほりさげなければならない。そうすると、この「経済主義」者をその根底からひっくりかえすためには、経済的要求を掲げて起ちあがった労働者たちを、どのようにその自然発生性から脱却させ、どのように変革しプロレタリア的階級意識をおのれのものとさせるのか、ということを、自分自身が解明しなければならない。

自分が対決している相手である「経済主義」者を「イスクラ」派の仲間へと獲得することが問題なのではない。自分の仲間である「イスクラ」派のメンバーたちを、「経済主義」者と対決しうるようにイデオロギー的に武装し、彼らを共産主義者として・前衛党組織成員として鍛えあげていくために、その徹底的な批判が必要なのである。そして同時に、起ちあがった労働者たちを階級として組織していくために、したがってまた、「イスクラ」派の組織成員へと獲得していくために、彼らを、どのようにして自然発生性から脱却させ変革していくのか、ということを解明することが必要なのである。

だが、レーニンはこのように考えなかった。「専制の打倒」という階級的・政治的意識を前衛党が外部から労働者たちにもたらす、と考えたのである。しかし、「専制の打倒」というのは、ナロードニキ以来、ロシアの革命的インテリゲンツィアが営々とうけついできた政治的意識なのであり、それを実現するための運動は、イデオロギー的にマルクス主義的なものを少しずつ取り入れながら一つの潮流をなしてきたのである。レーニンはこの潮流のほうにのっかったのだ、と私は思うのである。

この潮流の先頭を走り、マルクス主義をロシアに移植したプレハーノフにレーニンがそのまま学んだこと、すなわち、学ぶにあたってプレハーノフを徹底的に批判しなかったこと、このことが、レーニンが彼の独自の二段階戦略を定式化したことを根本的に規定しているものである、と私は考えるのである。

レーニンがまだ十歳であった一八八一年に、ヴェラ・ザスーリッチは自分とプレハーノフらの仲間を代表してマルクスに手紙を送り、その返事をうけとった。だが、彼らはそれを理解することができず棚上げにしてしまった。彼らがそうしたのは、マルクスの返事の内容は、自分たちの・マルクス主義の受容の仕方と異なったからだ、と思われるのである。

レーニンが『なにをなすべきか？』を書いた一九〇一～二年には、プレハーノフとヴェラ・ザスーリッチはレーニンとともに、「イスクラ」の編集局員・すなわち・「イスクラ」派組織の指導部であった。自分の同志であり大先輩であるプレハーノフにレーニンが学ぶのは当然であるとしても、学ぶためには徹底的に批判しなければならない、と私は考えるのである。

レーニンが革命の目的と手段を構想するときには、前衛党が一定の政治勢力にのっかり、戦略・戦術という指令を出してこの勢力をひっぱる、というように発想し考えることを基本とした、と私には思えるのである。

では、黒田寛一は、みずからの解明した・プロレタリアの自覚の論理を前衛党組織論に貫徹し、そうすることによって同時に、組織戦術というカテゴリーを創造したのであるけれども、眼前の階級闘争にかんして考えるときに、はたして、レーニンのこの発想と考え方を克服していたのであろうか。

二〇〇〇年代初頭に、黒田がムスリムを支持すべきことを提起したときに、彼黒田は、イスラム主義への批判をまったくおこなっていない。「ヤンキーダム」論文では、書いてあるのは、イスラム主義勢力の主張の特徴づけと、その闘いへの「あだ花」という評価だけである。考えてみれば、イスラム主義者のイデオロギーへの批判の論文を書いたのは私だけであり、その論文一つである。黒田その人がイスラム主義へのイデオロギー的批判を書かないのでは、組織諸成員にイスラム主義への対決をうながし、かつイデオロギー的に武装することはできないのであり、そしてまた、組織諸成員と同じ職場の労働者たちを階級的に変革していくことはできないのである。黒田自身、われわれ前衛党が階級闘争を展開するということを考えるときには、わが組織が階級闘争にとりくむ、というように発想し考え、それに組織的にとりくむべき既存の左翼的な運動が現存しないときには、なんらかの運動にのっかる、それに期待し尻押しする、というように頭がまわるのではないだろうか。

われわれが労働組合の下部組織や組合のない職場でたたかうときには、われわれは、その場で・すなわち・われわれが実存する物質的諸条件のもとで、打破すべき傾向をもつ組合員たちや労働者たちのイデオロギーを徹底的に批判し、左翼フラクションのメンバーたちに彼らに対決する立場をつくり、イデオロギー的に武装し、階級的にたかめていかなければならない。そして、このことを基礎にして、職場の組合員たちや労働者たちを変革していかなければならない。ここに言う、対決すべき相手のイデオロギーとは、彼らの諸行動や彼らが口にする言葉や、彼らの・会社管理者や職場の組合員ないし労働者への相対し方、これらにあらわれており、これらを規定しているところの、彼らの感覚・考え方・生き方であり、その総体であるところのイデオロギーである。

われわれは、自分が組合の下部組織の文書として書くばあいと、左翼フラクションの会議に提起する文書として書くばあいとを区別しつつ、この両方を内容的にほりさげ、形式上工夫することが必要である。

二〇二三年五月一三日

〔5〕職場にプロレタリア前衛党の細胞を創造するためにわれわれは

職業革命家集団としての党が戦術をうちだして諸階級をひっぱる、というレーニンの考え方と追求を克服していくためには、われわれは次のように考え、実践的に追求することが必要である。

われわれは、自分の所属する労働組合の労働者たちを組織して、あるいは、組合のない職場では職場の労働者たちを組織して、プロレタリア前衛党の細胞を創造しなければならない。

このゆえに、われわれは、組合内に・あるいは・職場で、左翼フラクションというかたちでつくりだしているところのものを、その実体の止揚を媒介として組織形態そのものを党細胞へと止揚していくものとして位置づけ、すなわち、党細胞を創造するための端緒的な組織形態として位置づけ、これを形態的にも実体的にも強化し確立していくことを追求しなければならない（もちろん、フラクションを二重化し、彼らを革命的フラクションのメンバーにして鍛えあげて、ということだが）。

こういう意味において、われわれは、バネと意欲のある彼らと、不断に「われわれはどうすべきか」というように問題をたてて論議し、「われわれ」の一員という自覚をもって実践するように、彼らにうながすことが必要なのである。すなわち、「われわれ」が組織として組合運動・職場闘争に組織的にとりくむのであり、そのために「われわれ」の会議で論議するのだ、自分はそこでの意志一致のもとにたたかうのだ、という自覚を彼らがもつように、その討論の仕方としても内容上でも意識して、わが党員は論議していかなければならない、ということである。

二〇二三年五月一七日

〔6〕自分の職場に反スターリン主義プロレタリア前衛党の細胞を！

われわれは、自分の職場に、すなわち、そこで働いている労働者たちが労働組合の成員である職場に・あるいは・労働組合の存在しない職場に、反スターリン主義プロレタリア前衛党の細胞を創造するために、次のようにたたかわなければならない。

めちゃくちゃなことを言い指示してくる管理者にたいして、われわれは組合員として・あるいは・一労働者として、「それはおかしいですよ」と柔軟に・かつ・大胆に闘争しなければならない。すなわち、われわれは組合員として・あるいは・一労働者として独特な職場闘争を展開するのである。このときに同時に、われわれは、こちらのほうを見ている労働者たちに気を配り、キラッと目をかがやかせた労働者たちを見いださなければならない。

われわれは、そのような労働者一人ひとりと「いっしょにたたかおう」と話しし、みんなで集まって、「このメンバーみんなでいっしょにたたかおう」と意志一致しなければならない。われわれは、このようにして一つのグループをつくりだすのである。これは端緒的な組織形態である。このような組織形態をつくりだすことが、出発点をなす。彼らは、われわれが組合員として・あるいは・一労働者として管理者とたたかったことに、鼓舞され、労働者的感覚をよびおこされ、管理者への怒りとたたかう意欲とバネをもったメンバーたちなのである。

われわれは、このグループの集まりで、「われわれはどのようにたたかうべきなのか」というかたちで問題を提起して論議し、「われわれ」の実践の指針を意志一致して、手分けして活動し、連携をとってたたかわなければならない。

そして、またみんなで集まって、それぞれのメンバーの実践を報告し点検しあい、グループとして組織的に総括していかなければならない。この総括の論議において、われわれは、マルクス主義の理論や反スターリン主義の理論を適用し、下向・上向の弁証法や論理的なものの考え方を駆使して、この総括をほりさげ、こうすることをとおして同時に、彼らに、適用し駆使しているものの体得をうながし、彼らの階級意識そのものをたかめていかなければならない。

この論議において、わが党員は、つねに、「われわれは」というように問題をたて、それぞれのメンバーのいたらなさや欠陥にかんして「われわれの一員としてのそのメンバーの問題」というかたちで問題をほりさげていかなければならない。わが党員が、「われわれはこうやったぞ」というように「われわれの諸実践がどういうものをつくりだしえたのか」ということを提起し確認すること、そして「私がみんなと論議した論議には、こういう弱さがあったと感じはじめているんだよ。自分がやった実践もこの瞬間が失敗したと思うんだよな」というように自分の反省でありこのグループ全体の反省をなす内容を提起して論議することが弱いままに、わが党員がそのなかの一メンバーと向かい合うかたちで「あなたの実践はこういうものをつくりだし、こういう意義があったんだよ」とか「あなたのこういう弱さと欠陥を自覚する必要があるよ」とかというように論議してはならないのである。あるいはまた、わが党員が、それぞれのメンバーに、その人によりそい、ささえるという意識で相対してはならないのである。

この両者の態度はともに、わが党員がそのメンバーの外側にわが身をおくものなのであり、わが党員がつくりだしたグループを個々バラバラにしてしまうことをもたらすものなのである。

わが党員は、つねに、「われわれは」というように問題をたてて論議し、自分が創造したグループを形態的にも実体的にも強化し確立していかなければならない。このようにして、実体の止揚を媒介として組織形態そのものを党細胞へと止揚していくのでなければならない。

二〇二三年五月一九日

〔7〕黒田寛一が「前衛党組織」ではなく「前衛組織」という規定をつくりだしたことに孕まれているもの

黒田寛一は、『日本の反スターリン主義運動　2』において、みずからが『組織論序説』で追求したところのものを次のようにとらえかえす。

「二〇世紀現代のかかる事態を根底からくつがえすためには、社会民主主義者やスターリニストの諸政党によってその自己解放がおしとどめられている労働者階級への、その「外部」に存在する「職業革命家集団」としての党による働きかけにふまえつつも、同時にこの党そのものをまさに「前衛＝革命的プロレタリア」の党として、つまり社共両党から完全に分離し独立した革命的労働者党として創造することが絶対的な条件である。」（黒田寛一『日本の反スターリン主義運動　2』こぶし書房、一九六八年刊、二二五頁）

そのうえで、「組織論序説」において「前衛組織」という規定を使っていることについて次のように反省している。

「さらに（ハ）「前衛組織」そのものの規定にも関係していること。前衛党が「前衛組織の政治的結集体」であると規定されていることの根底には、一方では前衛党になお結集していない、あるいは政治的に結集されていない種々の前衛組織（＝革命的プロレタリアの組織、たとえばわが同盟が指導している学習会やフラクション、ある一定の党派に所属していない戦闘的あるいは革命的プロレタリア、「反社民・反スタ」のアナルコ・サンジカリストその他）が存在していることの確認が、他方ではプロレタリアートの独裁国家の死滅（政治の根絶）とともに前衛党もまた死滅するのだけれども、しかしプロレタリアート独裁の実体的＝組織的基礎としてのソビエトあるいはコミューンとその先頭にたってイニシアティブを発揮すべき前衛的労働者組織は自己止揚的にせよ存続するということの認識が、よこたわっているのである。この後者にかかわる問題は、ソビエト組織論として（階級・党・ソビエトの相互関係の追求として）独立的に追求されなければならないのであるが、これへの橋渡しのいみをこめて「前衛組織」というあいまいな概念がことさらに設定されたのであろう。ところで、前者にかんする問題は、当然にも、「外部＝内部」という形態において創造される前衛党組織のその時々の労働運動への組織的とりくみにおける、いいかえればわれわれの組織戦術の大衆運動場面（あるいは諸党派のあいだのイデオロギー的および組織的闘いがくりひろげられている場面）への貫徹における、組織活動の実体的構造として解明されなければならないところのものである。」（二三〇〜二三一頁）

私はこの部分を一九六八年にはじめて読んだとき、「えっ、「前衛組織」とは「前衛党組織」のことじゃなかったの。そうすると、ＫＫ（黒田寛一）はなんでこんなことを考えたんだろう?・」と思ったのであった。「なんで?・」と私が思ったのは、「自分が組織をつくっているんだから、つくっているその組織に概念的規定をあたえる、となるはずなのに（なぜ、アナルコ・サンジカリストの組織などをひっくるめて規定するのか）」と感じたからであった。

いま、黒田が晩年にはプロレタリアートを信頼できなくなったこと、そして、革マル派組織建設において、ついに党細胞をつくりだすことはなく、実質上革命的フラクションがそれにとってかわったこと、こうしたことを私は考えていて、「前衛組織」にかんする論述が思い起こされてきたのである。

今日的に考えると、黒田がなぜこのように考えたのかがわからないのである。自分がなぜこのように考えたのか、ということを黒田はほりさげていない、と感じられるのである。

黒田は、革共同（当初は「トロツキスト連盟」という名称）の結成当初から、太田竜と対決し、前衛党の労働者組織としてＲＭＧ（革命的マルクス主義者グループ）と名づけた組織を創造していたのであった。松崎明はこれにくわわり倉川篤という組織名をつけた。そうすると、黒田にとっては、この組織が、自分が倉川らとともにつくりだしている組織なのであり、黒田は、この組織を、学習会やフラクションや、ましてやアナルコ・サンジカリストの組織とは画然と区別するかたちで感覚するのではないのか、と私は思うのである。

ところが、黒田は、この組織とその他の労働者諸組織とをくくるかたちで、すなわちそれらの諸組織が個々の区別性をもちながらも同一性にあるものとして、「前衛組織」という概念的規定をつくりだしたのである。これはいったいどういうことなのか、と私は思うのである。黒田は、この両者をその同一性において「前衛組織」と規定したうえで、「前衛組織」と規定された・これらの諸組織を、それらの「外部」にある「指導部」をふくめて「政治的結集体」をなしている「前衛組織」と、政治的に結集していない「前衛組織」とを区別した、ということなのである。

そうすると、このように規定したということは、黒田は前衛党組織においては山本勝彦として実存しているのであるけれども、山本勝彦は、自分が倉川篤らの労働者同志のなかにいるものとしては感じていないのではないか、そのなかにはいず、その「外部」の「指導部」のなかにいるものとして感覚しているのではないか、という気が私にはするのである。

これでは、前衛党は「前衛組織」の「政治的結集体」であり、その「前衛組織」は革命的プロレタリアによって構成される、としているとしても、「職業革命家集団」としての「指導部」はこの「前衛組織」の外部に存在するのであり、自分はこの「指導部」のなかにいる、ということになってしまうのである。

たとえ、反省の「(ロ)」として、「革命的ケルンが「内部」に実存しながらも同時に「外部」の指導部とともに、まさに「外部」に前衛党組織を形態的に確立するための組織的闘いを実現する、という党組織づくりそのものの構造（指導部⇅ケルン）が追求されていないということである。」（二三〇頁）ということが明らかにされたとしても、あくまでも「指導部」は、今日の労働運動の内にあって同時に外にあるとされる「革命的ケルン」の外側に位置づけられているのである。すなわち、山本勝彦である自分は前衛党組織指導部の一員であると同時に、革命的ケルンを創造した主体として、この革命的ケルンの一員である倉川篤とともに、この革命的ケルンを形態的にも実体的にも確立するために組織的闘いをくりひろげるのだ、ということ、この意味においては、自分もまた、倉川篤らの革命的ケルンのメンバーたちとともに、今日の労働運動の内部に、まさに今日のプロレタリア階級闘争の内部に実存しているのだ、というこの実体的構造が明らかにされていないのである。今日の労働運動とは、今日のプロレタリア階級闘争のことなのだ、ということを考えるならば、右のことは明らかであろう。

黒田のこの反省と解明は、労働運動の外部に存在する「職業革命家集団」としての前衛党が戦術をうちだして階級を動かす、というレーニンの考え方を、この「職業革命家集団」を前衛党そのものではなく「前衛党の指導部」とするかたちで踏襲したうえで、労働運動の内にあると同時に外にある「革命的ケルン」がその「指導部」のもとにある「下部組織」として前衛党を構成するのだ、とするというかたちでそのレーニン的党組織論の克服をはかったものである、といわなければならない。あくまでも、自分は「革命的ケルン」の外にいる、ということになるのである。

このように考察してくることをとおして、私は、「外部」「内部」という考え方そのものを破棄したほうがいいのではないか、という気がしてきた。プロレタリア前衛党がプロレタリア階級闘争の外部に実存する、とするのは、おかしげだ、という気がするのである。

この「外部」「内部」という論理は、われわれ前衛党の成員が労働組合に所属しているばあいに、われわれ主体は、前衛党の成員であると同時に、労働組合の一員である、という論理に（自分の職場に労働組合がないばあいには、われわれ主体は、前衛党の成員であると同時に、職場では一労働者である、ということになる）、すなわち、われわれ主体の・そのおいてある場に規定された・規定性の転換の論理に止揚された、と考えるのがいいのではないだろうか。

二〇二三年五月二一日

〔8〕「外部＝内部」（内にあると同時に外にある）という論理について

黒田寛一は、「前衛党組織」ではなく「前衛組織」というあいまいな概念を設定した、というように『反スタ　2』で反省しているのであるが、それは、『組織論序説』における理論的解明を次のように問題にしたうえでその根拠として明らかにしているものである。

「ここでは明らかに「前衛組織」は、いわば扇の要としての組織的地位があたえられ二重に規定されている——すなわちそれは、一方では前衛党の「下部組織としての政治的機能をはたす」ものとして、他方では既成諸組織の内部において「階級闘争を全体として左傾化し革命化してゆくための革命的分派組織としての役割をも、同時にえんじる」ものとして。今日的視点から表現するならば、前者は「前衛組織」の組織面、後者はその運動面である、といえる（第1図の1をみよ）。

労働者階級の内部につくりだされ実存するとされている「前衛組織」は、さしあたりまず、直接には社共両党の組織の内と外にまたがってつくりだされる革命的ケルンとしてとらえられているがゆえに、既成指導部にたいしては「革命的分派組織としての役割」をえんじるとされているのであるが、しかしこの「分派」は既成左翼諸政党内の分派としてだけでなく、また労働組合内の革命的フラクションとしてもとらえられている。したがってそこでは、この両者（党内分派と組合内フラクション）の本質的なちがいはまったくとらえられていない。だから当然にも「分派闘争」ということも、党内分派闘争と組合運動における反幹部闘争との二重の意味でつかわれているわけである。」（『反スタ　2』二二七〜二二八頁）

この反省は、黒田が『反スタ　2』の段階で自分が明らかにした理論的解明の地平から見て、『組織論序説』の段階での理論的解明においては未分化なものをつきだす、というようになっている、と私は感じるのである。すなわち、後者の理論的解明は、その当時に実際のおこなっていた・どういう実践の理論化であるのか、ということが、私にはわからない、ということなのである。

端的には、「社共両党の組織の内と外にまたがってつくりだされる革命的ケルン」とはいったい何なのか、革共同全線委員会（のちに国鉄委員会という名称になった）のことなのか、それとは別のものなのか、ということである。

『ケルン』という雑誌は革共同国鉄委員会の機関誌であると私は思いこんでいたのであったが、四茂野修の本（『評伝・松崎明』）を読むと、どうもそうではなく、当初は日共系の学習会組織の機関誌として出発したようなのである。そのようなものとして、松崎明は学習会組織をつくったのだ、と思われるのである。そうすると、これは、黒田が「社共両党の組織の内と外にまたがってつくりだされる革命的ケルン」という表現でもってさすものとぴったりなのである。しかし、これは、松崎が日本共産党内での分派闘争を推進するためにつくったものとは思えない。むしろ、これは、松崎が若い国労組合員や動労組合員をわが前衛党組織の担い手へと変革するために彼らを集めてつくりだしたフラクションのようなものというべきであろう。

そして、前衛党組織をなす全線委員会は、この学習会組織とは別に存在するであろう。そうすると、当時つかわれていたと思われる「革命的ケルン」という規定は、全線委員会をも学習会組織をもさすものとされていた、と考えられるのである。

さらに問題となるのは「内と外」という規定である。ここで、「社共両党の組織の内と外にまたがって」といわれるばあいには、これは、社共両党のいずれかに加入しているメンバーといずれにも加入していないメンバーという意味だと思われる。

「内と外」のこの意味と「「内部」の革命的ケルンは同時に「外部」に実存するのだ」というときの「内」と「外」の意味とは異なる。後者は革命的ケルンそのものの規定だからである。この「内部」を社共両党のそれと考えるならば、革命的ケルンは「内部」には実存していない。前衛党の成員の一定のメンバーが共産党に加入戦術をとっているのであるならば、その一定のメンバーが共産党の「内部」に実存しているというだけのことである。また、この「内部」を労働組合のそれと考えるならば、それの「内部」と「外部」というように問題をたてることそれ自体がおかしい。大衆団体である労働組合と前衛党組織とは組織形態として別なのであり、前衛党の成員が同時に労働組合の成員でもある、という関係をなすのだからである。さらに、この「内部」と「外部」を労働者階級のそれと考えるならば、よりいっそうおかしい。前衛党組織は労働者階級の「内部」に実存すると同時にこの階級の「外部」に実存する、と言いうるのであろうか。このように言うことそれ自体が、前衛党組織を労働者階級の外側に措いて両者を関係づけるものではないだろうか。

レーニンが「外部」というばあいには、「労働者」の「外部」というように論じている。

「階級的・政治的意識は、外部からしか、つまり経済闘争の外部から、労働者と雇い主との関係の圏外からしか、労働者にもたらすことはできない。」（『なにをなすべきか』一二一頁）というように、である。

この展開については、われわれ前衛党とわれわれが働きかける対象をなす労働者との実体的対立を措定して、われわれ前衛党が労働者をどのようにして組織していくのか、という労働者の組織化の論理を解明するという問題として止揚すべきである、と私は考えるのである。レーニンが「外部」という用語を使っているからといって、このレーニンの規定を止揚するためには、われわれは「内部」と「外部」の論理を解明しなければならない、と考える必要はない、と私は思うのである。

二〇二三年五月二二日

〔9〕松崎明は最初から〈ケルン⇅労働運動〉というようにアプローチして考え実践していたのではないだろうか

『反スタ　2』において黒田は、『組織論序説』の段階では「前衛組織」は、いわば扇の要としての組織的地位があたえられ二重に規定されている」というように捉えかえしたうえで、このような理論化がなされている根拠の第一番目として次のようにのべている。

「(イ)民同的あるいは代々木的に歪曲されている今日の労働運動の内部において、反幹部闘争などをテコとして、それを左翼的に展開し、これを通じて、社共両党の内部に革命的ケルンをつくりだす、というベクトル（労働運動→ケルン）からの追求がその根底にあること。いいかえれば、質的にも量的にも強化された「内部」の革命的ケルンが、「外部」の指導部とともに、労働運動へ組織的にとりくむこと（ケルン→労働運動）そのものを組織論的に追求することが欠如しているということである。」（二二八頁）。

これが、（イ）の部分の全文である。

私は、この部分を最近読みかえして、これは不思議な展開だ、と感じる。『組織論序説』の段階での実践にかんして「反幹部闘争などをテコとして、それを左翼的に展開し」とされているのであるが、これをおこなった主体が、いいかえれば、この句の主語が書かれていない。これをおこなったのは、われわれではないだろうか。だから、主語は「われわれ」ではないだろうか。

倉川篤である松崎明が、尾久機関区で二人の労働者をオルグして三人で革命的ケルンを創造していたとしよう。こういうことを念頭において当時を考えると、このケルンが反幹部闘争などをテコとして動力車労組尾久支部の運動を左翼的に展開したのではないだろうか。これは、このケルンが組織として組織的に労働運動に組織的にとりくんだ、ということではないだろうか。

たとえ、倉川篤である松崎明が、尾久機関区で一人から出発した、という時点であったのだとしても、彼の実践は、彼がその一員であったＲＭＧ（革命的マルクス主義者グループ）が組織として動労尾久支部の運動に組織的にとりくんだ、ということではないだろうか。したがって、この実践は、彼がわれわれＲＭＧの組織戦術を労働運動の場面に貫徹した、ということではないだろうか。

倉川篤である松崎明のこの実践は、〈労働運動→ケルン〉というベクトルからの追求であった、とは決して言えないのである。

黒田は、『組織論序説』で次のように書いていた。

「各工場・各職場・各地域などでの種々の闘争の過程で既成指導部に反撥し、あるいは疑問をいだきはじめた「バネのある」戦闘的労働者たちは、さしあたりまず〝学習会組織〟に結集されなければならない。……このような〝学習会組織〟を通じての戦闘的労働者の革命的プロレタリア化のための闘い――これが、労働者組織形成の最も端初的な形態であり、その**第一段階**をなす。」（二九五頁――傍点・ゴチックは原文）

この理論展開は、明らかに〈労働運動→ケルン〉というベクトルからの理論的追求である、といえる。これは、松崎明の実践をどのように理論化するのか、という問題である。

もしも、倉川篤である松崎明の実践がここに書かれていることからはじめられていたのだとするならば、彼の実践自身が〈労働運動→ケルン〉のベクトルからの追求であった、といいうる。だが、私にはそうは思えないのである。まずもって、倉川篤は松崎明として、既成指導部に反撥し疑問をいだく〈バネのある〉戦闘的労働者をつくりだすという目的意識をもって、組合的諸課題の実現をめぐって動労の右派の幹部に抗して尾久支部の運動を左翼的に展開するための諸活動をくりひろげたのだ、と私は思うのである。いまから考えるならば、黒田はこのことをうまく理論化しえていなかったのだ、と私は思うのである。

私は、こういうことの考察が問題となる、と思うのであるが、『反スタ　2』の段階で、黒田はこれとは別のことを言っているのである。

この段階で、黒田は、過去の追求にたいして、「質的にも量的にも強化された「内部」の革命的ケルンが、「外部」の指導部とともに、労働運動へ組織的にとりくむこと（ケルン→労働運動）そのものを組織論的に追求すること」を対置しているのである。こう考えると、黒田の力点は、「質的にも量的にも強化された」「革命的ケルンが」ということにある、ということがわかる（傍点は引用者）。〈ケルン→労働運動〉というベクトルというかぎりでは、黒田の理論化にはうまくいっていないところがあるとしても、松崎はそういうベクトルにおいて実践していたのである。そうでなければ、彼は、一九六〇年代の前半だけで動労内にあれだけのわれわれの組織を創造しうることはありえなかった、と私は考えるのである。

このように考えるならば、〈ケルン→労働運動〉というベクトルということでもって、黒田は、革命的ケルンが質的にも量的にも強化されたのだから、「内部」の革命的ケルンは、――これまでのように労働運動を「左翼的に展開」することに満足するのではなく、――「外部」の指導部とともに、「外部」の指導部がうちだした独自の戦術を物質化し、労働運動をもっと独自的なかたちで展開せよ、ということを松崎明に迫っているのだ、というように、冒頭に引用した文章は、私には読みとれるのである。

もしも、このベクトルということに、いま見たような意味をこめるのでないならば、黒田は、自分の理論展開上の一面性を反省し提起するとなるのであって、松崎明にたいして、あれほどまでに執拗に「ケルン主義」と批判しつづけることはなかった、と私は思うのである。

松崎明は、黒田のこの批判をうけいれるのを拒否し、自分自身の実践の仕方をつらぬいたのであった。

この黒田には、「外部」の指導部がうちだした戦術を「内部」の革命的ケルンは物質化するのだ、という考え方が、基本的なものとしてある、と私には感じられるのである。

『組織論序説』で次のように展開されている。

「『反スターリニズム・反社会民主主義』のさまざまの闘いを通じて労働戦線の内部に確固としてうちたてられる革命的中核、革命的プロレタリアートの前衛組織は、一方では、堕落した既成左翼諸政党や労働運動の公認指導部と鋭角的に対立した真の革命的前衛党、あるいはその創成のためにたたかっているその母胎としての革命的マルクス主義者の政治集団との関係においては、その実体的基礎をなし、革命的指導部がうちだす闘争戦術を物質化し既成公認指導部をのりこえつつ闘いを推進してゆくための下部組織としての政治的機能をはたす。……」（二八〇頁）

これは「扇の要」をなす「前衛組織」の一方の側面にかんする規定である。これの後に、他方の側面をなす「革命的分派組織としての役割」が論じられる。

ここでの問題は、前衛組織が、革命的指導部がうちだす闘争戦術を物質化するものとして規定されていることである。この前衛組織が、これと同時に、みずからの実践の指針たる闘争＝組織戦術を解明し、これを物質化するのだ、ということは考えられていないのである。

すなわち、山本勝彦である黒田寛一が、革共同尾久細胞あるいは全線委員会の会議に出席して（黒田の自宅でこれらの会議をおこなって）、倉川篤である松崎明たちと論議し、国鉄戦線におけるわが前衛党組織とその諸成員の実践の指針を、したがってその中身においては同時に、わが前衛党組織成員は動労組合員あるいは国労組合員として、どのような方針をうちだし、どのような諸活動をくりひろげるべきなのか、ということをねりあげ解明し決定する、ということは埒外におかれているのである。あくまでも、闘争戦術は「革命的指導部」が解明しうちだすものとされているのである。理念的には、この「革命的指導部」

には労働者同志も加わるものとされているとしても、黒田が、職業革命家とすべき学生出身のメンバーたちを相手に論議するのと、労働者メンバーたちと論議するのとでは、論議の仕方と進め方が大きく違ってくるという問題をどのようにして打開するのかということは考えられておらず、実際には、黒田は、第三次分裂の前には、武井健人や野島三郎らを常任メンバーに育てたうえで労働者組織の指導は彼らにまかせたのであり、革マル派結成以降には、前者のメンバーたちだけで実質上の最高指導部をなす書記局を、さらに政治組織局をつくったのである。

そうすると、どうしても、一九六五年の反合理化闘争のスローガンのように、黒田は、松崎明らの国鉄委員会のメンバーのいない・自分と本庄武らの常任メンバーだけの場で、「一人乗務反対・ロングラン反対」というスローガンを解明し決定し、本庄武に国鉄委員会につたえさせる、ということになってしまうのである。

この意味では、黒田は、前衛組織あるいは前衛党組織を創造し、これを前衛党の構成部分とするというかたちで、レーニンの前衛党論を克服しているのだとしても、この前衛党の指導部が闘争戦術を解明してうちだし、これを下部組織である前衛組織あるいは前衛党組織が物質化する、と考えているのは、レーニン・スタイルだ、と私は考えるのである。

二〇二三年五月二四日

〔10〕　われわれは「われわれは」と感覚し発想しなければならない

黒田寛一『日本の反スターリン主義運動　2』（こぶし書房、一九六八年刊）の二二九頁の図を見てほしい。「前衛組織づくりの一面的把握」という図である。〔1〕は『組織論序説』の段階での解明にかんする図解であり、〔2〕はそれを克服した『反スタ　2』の段階でのそれである、と説明されている。

この図解からするならば、〔1〕図、〔2〕図ともに、黒田寛一は、自分は右上の楕円（前衛党の指導部）のなかにおり、松崎明は下のほうの円（前衛組織）のなかにいる、と考えているのだ、と思われる。〔2〕図では、下の二つの円は同じもの（前衛党組織）であり、この円のなかにいる倉川篤は、左側の縦の大きな楕円（既成の組織）のなかでは、松崎明として実存しており、右側の縦の大きな点線の楕円（前衛党）のなかでは、松崎明は倉川篤として実存している、というように明らかにされているのだ、といえよう。

この図では、あくまでも、前衛党指導部をあらわす楕円は、前衛（党）組織をあらわす円の外側に描かれているのである。

このような図を描いたということは、黒田は、自分を、前衛（党）組織の外側の指導部にいるものとして感覚していたのではないだろうか。

私としては、この図で言えば、楕円と円とが一部重なった図を描きたいのである。前衛党の最高指導部

（政治組織局）と労働者組織（産業別労働者委員会・労働者細胞）との実体的同一性（前者を構成する一定のメンバーは同時に後者のメンバーでもあるという関係）をあらわしたいからである。そして、この全体を点線ではなく実線でかこみたいのである。前衛党そのものをしっかりとあらわすためである。さらに、この実線の丸がすっぽりと入る大きな丸を描きたいのである。プロレタリア階級闘争そのものを大きな丸というかたちであらわしたいからである。

このような図を描くならば、ここに既存の組織を書きこむことには無理がある。それについては、既存の組織が社共両党であるばあいと労働組合であるばあいとを別々の図にして描かなければならない。

ここに描かれている〔1〕図は、松崎明が組織していた学習会を「前衛組織」と規定するかたちで直接的に理論化したものの図解である、と私は思うのである。松崎明は、共産党の傘下にあるものという装いをこらして・バネのあるメンバーたちを組織して学習会組織をつくりだしていたのだ、と思われる。この学習会組織を「前衛組織」と規定して、その外部にある前衛党指導部（革命的指導部）とのあいだで指導・被指導の関係にある、というように理論化するのは無理がある、と私は考えるのである。その学習会組織については、前衛党員である倉川篤が松崎明という資格において組織したものとして理論化すべきである、と思うのである。

前衛党組織づくりにかんしては、黒田寛一が山本勝彦として創造したＲＭＧ（革命的マルクス主義者グループ）および松崎明が倉川篤としてつくりだした全線委員会（国鉄委員会）、これらをどのようにして組織し強化確立してきたのかということそのものを理論化すべきである、と私は考えるのである。

黒田は、労働者たちを集めた学習会で、自分がどのように彼らと論議したのかということをリアルに紹介したものを書いているのであるが、組織討議そのものをどのようにやったのかということの苦労と教訓を書いたものはない。私は、口頭でも、黒田から「自分は、組合運動をどう組織するのかということの技能的なものを、産別横断的な学習会の（みんながそろうまでの）前段でいろいろと聞いたんで、鍛えられているんだ」ということを聞いただけであった。

黒田は、労働者同志とのあいだでは、学習会が基本だったのではないだろうか。組合運動の組織化や組織活動にかんしては、松崎が個別に相談にくるのにたいしてその相談にのる、ということだったのではないだろうか。

どうも、黒田は労働者同志と面々相対するときには、学習会でマルクス主義の理論を教え、また労働者同志の相談にのり、労働者同志は、その理論を教えてもらい、また自分がやるべきことの相談にのってもらう、というものとなっていたのではないか、という気が、私にはどうしてもするのである。これでは、黒田は自分を労働者同志の外側においてしまうことになるのである。これでは、わが組織として、われわれのそれぞれのメンバーが組合運動の場面ではどのような方針を提起し・諸活動をくりひろげるべきなのか、そして創造している戦闘的労働者たちのグループのメンバーをどのように変革していくべきかという指針を、黒田自身が参加した組織会議でねりあげ、組織的同一性を創造していく、というようにならないのであり、わが組織を組織として組織的に確立していくとならない、と私は思うのである。

今日、われわれは、「われわれはどうすべきなのか」というかたちで論議し、組織的同一性を創造し強化してきているのである。われわれは、われわれのそれぞれのメンバーが実存している組合や諸職場の労働者たちの変革主体としての現実を変革し切り拓いていくという立場にたって、この現実を分析し、われわれの実践の指針を解明しねりあげていかなければならない。

このことを基礎にして、わがメンバーは、自分の組合や諸職場で、先進的な労働者たちを組織して創造しているグループにおいて、「われわれはどうすべきなのか」というかたちで論議していかなければならない。わがメンバーは、要求を実現できるように相手をささえるとか、相手の活動上の相談にのるとか、相手の実践を高度にするように話しするとかというような論議の仕方を突破しなければならない。わがメンバーは、自分がつくりだしているグループにおいて、われわれの組織討議と同じように、「われわれは、われわれの組合（われわれの諸職場）の労働者たちの団結をこのように強化してきた。しかし、こういうあたりはまだまだである。これを突破するために、こういう課題でこういう闘いをこういうようにつくっていこう」というように提起して論議し意志一致して、闘いを創造していかなければならない。

二〇二三年五月二六日

四　わが組織を組織として確立するためにほりさげるべき問題

〔1〕左翼フラクションの内部に、党細胞を創造するためのグループをつくりだそう

われわれは、自分が労働組合の下部組織の役員として活動しているのであれ、組合のない職場で一労働者として活動しているのであれ、つくりだしてきている左翼フラクションの内部に、自己をプロレタリア的に変革したかめることを強く意志するメンバーたちを結集して・党細胞を創造するための端緒的な組織形態を組織しなければならない。黒田寛一が自分のもとに集まってきた労働者たちを組織して創造した組織の名である「革命的マルクス主義者グループ」にちなんで、この端緒的な組織形態を「グループ」と呼ぼう。自分が自分一人から出発して自分の職場に党細胞を創造するのであるからして、この組織形態を――わが組織の内部では――自分の名を冠して「〇〇グループ」と呼ぶのが適切である。その仲間たちのあいだでは適当に呼べばよいし、「われわれ」ないし「われわれのグループ」でよい。

この組織形態を創造するためには、われわれは、自分の諸能力をあらゆる部面にわたってたかめなければならない。われわれは組織的に論議して相互に組織成員として自己を変革し、自己を組織的に変革した

自己が、職場で一人でたたかうのである。われわれは、職場で一人で党細胞を創造するだけのあらゆる諸能力を身につけ・不断にたかめなければならない。

われわれは、組織成員としてそれぞれにいろいろな欠陥や弱さやまた苦手なところをもっている。われわれは、自己の諸能力にいろいろな部面で凸凹があったうえで、あらゆる部面の能力を格段にたかめるのである。われわれは、職場での闘いを遂行するための組織的な論議で、自分がその部面の能力をたかめるのを避けたり・おろそかにしたりしてきたことを気づかされたときには、その部面の能力をたかめるために自己を訓練することを自己に課さなければならない。われわれは、職場での自己の実践の「目的と手段の体系」を構想し、自分が避ける活動の分野や活動の仕方をなくしてその構想を実現するために奮闘する、というかたちで、その訓練を意識的に計画的にかつ着実にやっていかなければならない。

われわれは、このようなかたちで、自己を、共産主義者として＝組織成員としてたかめていかなければならない。われわれは、このようにして、自己の成長をかちとっていくのである。職場での闘い（あるいは、自己のおいてある場での闘い）を離れては、共産主義者としての＝組織成員としての自己成長はない。

われわれは、マルクスが『資本論』の第三巻で明らかにした、共産主義社会におけるその諸成員の人間的な諸能力の全面的な発達と開花を、いま場所的に、わが組織において実現していくのである。われわれは、そうしなければならない。

二〇二三年六月一〇日

〔2〕 職場での闘いを遂行しうる主体へとみずからを鍛えあげていくために

われわれが、職場で、労働組合の下部組織の役員として・あるいは・組合がないという物質的諸条件のもとで一労働者として・たたかうことは、その主体であるおのれが、そして職場でのこの闘いについてその直接の主体であるメンバーと組織的に論議し組織的同一性を創造する組織成員であるおのれが、あらゆる意味において問われるのである。

われわれは、自分が組合の役員であるばあいには、他の役員たちといっしょに、会社側がかけてくる労働強化や労働組織の再編の攻撃をはねかえしていくために、組合の当該の下部組織に照応する会社の労働部門の管理者たちと、現場協議ないし現場交渉というかたちで、徹底的にたたかわなければならない。

われわれは、自分が組合のない職場の一労働者であるばあいには、職場の労働者たちの実質上の代表として、他の労働者たちといっしょに、右記と同様の攻撃をおしかえしていくために、現場管理者やそれよりも上級の管理者たちとたたかわなければならない。

このような闘いは、ともに、労働組合と労働運動が「連合」指導部に牛耳られているという現在の階級的諸条件のもとでは、管理者たちとのイデオロギー闘争という形態をとる。われわれは、このイデオロギー闘争をどのように展開するのかを的確に判断するために、職場の物質的諸条件や彼我の力関係やまた労働者たちの団結の度合いなどを分析しつかみとらなければならないのであり、この分析力と政治的感覚を身につけ鍛えあげていかなければならない。

そして、われわれは、このイデオロギー闘争の中身をその場で創意的につくりだしていかなければならないのであり、しかも事前に、いっしょにたたかう仲間たちを——イデオロギー的に・および・管理者たちに対決する実存的心棒をつくるというかたちで——武装し意志一致しておくことが必要なのである。

このような闘いを、この仲間たちを左翼フラクションに組織しつつ実現すると同時に、この闘いとその総括をつみかさねることをとおして、——したがって、「われわれ」が対決している会社は、労働者の生き血を吸う資本なのであり、この資本と賃労働の関係をその根底からひっくりかえすのだ、という自覚を彼らにうながすことをとおして、——自己をプロレタリア的にたかめる意志を強くしたメンバーたちを創出し組織して、党細胞を創造するためのグループをつくりだすのでなければならない。

われわれの一人ひとりが、このようなイデオロギー的＝組織的闘いを遂行しうる主体へとみずからを鍛えあげていくことは、並大抵のことではないのである。

われわれは、わが組織をわが組織として組織的に強化し確立していくために、自己と同志たちを相互にこのように鍛えあげていくための内部思想闘争をおしすすめていかなければならない。

二〇二三年六月一〇日

〔3〕 会社の管理者とどのように闘争しているのか

労働組合と労働運動が「連合」指導部によって牛耳られているという現在の階級的諸条件のもとで、われわれは、自分が、労働組合の下部組織の役員としてであれ、あるいは組合のない職場での一労働者としてであれ、会社の管理者たちとどのように闘争しているのか、ということが問題となる。われわれが、組合役員・あるいは・一労働者として、管理者たちと直接にどのようにイデオロギー闘争をやっているのかということ、そして、いっしょに闘争する組合役員たち・あるいは・労働者たちをどのようにイデオロギー的に教育し武装し、彼らのうちに自分の生き方を転換する実存的決断をつくりだしえているのかということ、これに、われわれ自身の、共産主義者としての＝組織成員としての思想性と実存的決意が端的にしめされるといってよい。

このイデオロギー闘争をどのように遂行するのかということに、われわれ自身の、そして、いっしょにたたかう組合役員たちあるいは労働者たちの生活がかかっているのである。われわれの、その場での政治的直観力と分析力がにぶり、判断がくるえば、組合は破壊され、あるいは、みんな、首を切られてしまうことになる。他面から言えばまた同時に、そのような闘いをやらなければ、職場の現実を切り拓くことはできず、いっしょにたたかった組合役員たちあるいは労働者たちを共産主義者へとたかめていくことはできない。

このような問題をめぐって組織的に論議していくときには、われわれ組織成員それぞれが、過去において自分が管理者たちとどのような関係をつくりだしてきていたのか、管理者たちとどのように闘争していたのか、闘争しえていなかったのか、ということをふりかえり、ほりさげていくことが必要である。

われわれは、わが組織をわが組織として強化し確立していくために、このようなかたちで内部思想闘争をおこなっていくのでなければならない。

二〇二三年六月一一日

〔4〕黒田寛一が組織成員の資質の変革を重んじたのはなぜか

まだ革マル派がいまのようには変質していなかった頃、黒田寛一は組織建設のために、組織成員の資質を変革することを重んじた。それは、組織成員の疎関係というような、組織成員としての資質を問題とすることを出発点とするものであったが、これを出発点として、これを規定している人間的資質そのもの、すなわち、無感動・無感情・無口・無作法といった五無人間（五無人間は「無感動・無関心・無責任・無気力・無作法」）であるというような人間的土台そのものへ、そして赤ん坊から幼少のころへと親に育てられた育てられ方・躾られ方といったことがらへと下向していくことを主眼とするものであった。

しかし、今日から捉えかえすならば、組織成員のこのような変革の仕方は、組織成員の組織成員としての思想性・組織性・人間性をたかめる、ということからどんどんと離れていくものであった、といわなければならない。

『実践と場所』全三巻を検討した現時点からするならば、それは、黒田寛一自身が幼少のころに受けた戦前の教育を理想像とし、現在の組織成員たちの人間的資質を戦後のアメリカ的教育の所産とみなして、戦後生まれの組織成員たちにたいして、自分のような、日本人らしい感性と日本人らしい礼儀作法の体得をせまるものであった、といわなければならない。

今日からすれば、私は、組織成員の生まれ育ちからする人間的資質は、戦前的なものであったとしても戦後的なものであったとしてもどちらでもいいではないか、組織諸成員は、それをみずからの人間的土台として、みずからの共産主義者＝マルクス主義者としての思想性・組織性・人間性をたかめ、そうすることをとおして同時に、その人間的土台を組織成員にふさわしいものとして変革しみがきあげていくこと、これが問題ではないのか、と思うのである。

黒田寛一が組織建設としてめざしたものは、組織成員をプロレタリア的聖人君子としてつくりだしていく、というようなものであったのではないか。そして、それが、晩年には、組織成員を日本人的聖人君子としてつくりだしていく、というようなものになってしまったのではないか。いま、私はこう感じるのである。

すなわち、黒田は、組織成員を組織成員として確立するために、この組織成員がこれまでに身につけてきたブルジョア的汚物を洗い流すことに主眼をおいたのではないか、ということである。だが、こうすることによって、多くの組織成員たちは、汚物とともにあらゆる内面的な発露物が洗い流されることとなり、黒田その人を神として崇め奉る没我の人間になってしまった。しかも今日では、それらの者たちは、自己保存本能だけを残す、無欲ならぬ無意欲の人間になってしまった。

なぜ、こんなことになってしまったのか。

それは、黒田には、組織成員が、あるいは組織成員たらんとするメンバーが、自分の働く場に党細胞を創造するために、組合員として（以前には組合の存在する職場が多かったからこう表現する）、日々、管理者たちと闘争するためには、ものすごいプロレタリア的主体性を身につけなければならない、ということがわからなかったからではないか、と私は思うのである。松崎明が、国鉄の現場管理者との闘争を、はた目にはたやすくおこなったことから、この闘争につらぬかれている彼のプロレタリア的主体性を黒田は見ることができず、松崎が組合役員としてくりひろげている活動を、労働運動をでっかくつくることを意図したものというように見てしまったのだ、と私は考えるのである。

こうして、黒田は、組織成員の共産主義者としての確立を、組織成員の・職場でたたかう主体としての確立にではなく、それとは別のところにもとめた。一方では、組織成員が、創造されたわれわれの組織的力をもとに、革命的フラクションを実体的基礎として、独自の戦術をもって、労働運動を独自的に展開する主体となること、すなわち組織現実論を理解し直接的に適用する主体となること、そして他方では、組織成員が一切の汚物をきれいさっぱりと捨て去った革命的プロレタリアになること、この両者にもとめた。こう、私は考えるのである。

だが、これは、われわれがわが組織として労働運動にどのように組織的にとりくむのかにかんして、あらかじめ答えを用意し枠をはめるものであり、わが組織成員が職場でどのようにたたかうのかをめぐって、したがって、われわれが労働運動をどのように展開するのかをめぐって、内部思想闘争を展開することを封じるものであった、といわなければならない。そして同時に、これは、こういう思想闘争とは別のところで、組織成員に、黒田が思いえがいたところの革命的プロレタリアになることをせまるものであった、といわなければならない。

こうすることによって、われわれは、国鉄戦線以外では、強大な組織的基盤を創造することができないままとなった。そして、いまでは、職場でたたかうことのできないメンバーだけが、中央官僚のもとに残った。

こういうことではないだろうか。

二〇二三年六月一二日

〔5〕　中央労働者組織委員会も産別委員会も労働者細胞も存在しなかった

黒田寛一の党組織建設にかんする展開は、頭のなかの理念的なものを書いているというように考えるならば、整合性があり理解できるのだが、今日的に、あらためて、現実と照らし合わせて読むならば、そこで展開されていることは現実とはまったく異なるのである。

彼は「労働者同志諸君へ」(一九九三年七月三十一日)において次のようにのべている。

「直接的には、わが党は労働者党であって、下から上まですべて労働者自身によってつくりだされなければならない。たとえば中央労働者組織委員会ならびにそれに所属する諸々の産別委員会、もろもろの産別委員会に所属する諸々の労働者細胞、これらすべては労働者自身によって担われている基本組織である。そして常任メンバーとは、かかる党組織の横にいてサポートする者、つまり〝用務員〟でしかないのである。ブルジョア企業の構造を模倣して言うならば、労働者組織委員会から各級産別委員会へ・そして労働者細胞へ、というラインにたいして、スタッフとしての位置づけが与えられるもの、それが常任メンバーとそのグループなのである。主体はあくまでも労働者組織にあり、常任はその〝お手伝い〟でしかないのである。ところが、労働者細胞の確固とした形成が十分になされていないことと関係して、産別委員会組織もなお十分であるとは言いがたい。このようないわばラインをなす労働者組織のピラミッド構造とそれをサポートする常任メンバーとの有機的関係を確保し実現すること、これをわれわれは意識的に追求してきたのであるけれども、なお十分ではない。」(『組織現実論の開拓 第五巻 党建設論の確立』二四九~二五〇頁)

最後の「なお十分ではない」というどころの話ではない。「これをわれわれは意識的に追求してきた」とは到底言えない。黒田は、労働者メンバーを、職場にいたままにして党員にはしたくはなかったようなのである。「このメンバーを引き上げたいのだけれども」というように相談すると、黒田からは「では、そのメンバーを、職場をやめさせて常任にしろ」と言われた。話が違ってくるので、私は「いや、そこまでは……」と引き下がる以外になかった。

黒田は、百年後の反スタ運動研究者のことを考えているのであろうか。その研究者は、この文章を読んで、これが現実の描写だと思いこむことであろう。黒田は、文章を書くときには、現実を描写するのではなく、あるべき理念像を現実の素描として書くのである。こういうことについては、私は、黒田とは、ついに、話がつうじるようには会話することができなかった。きわめて難しかった。

党組織には、中央労働者組織委員会は存在しなかった。労働戦線担当常任メンバーからなる会議が存在しただけであった。そのなかには何人かの労働者出身の（つまり職場をやめた）常任メンバーがおり、自分の出身の産別を担当していた。一つの産別以外は、産別委員会も労働者細胞も存在しなかった。党員もいなかった。

こうした事情からして、以下は、一つの産別以外のことについて書く。党大会の時には、誰を参加させるのかにかんして、政治組織局の労働戦線担当常任が黒田と相談して、各産別一～二名を決めた。そのメンバーは党員候補という資格で参加した。

このことから明らかなように、常任メンバーは、サポートする者＝スタッフなのでは決してなく、指導部そのものであった。労働者党員は存在しないのだからである。常任メンバーは、各産別の革命的フラクションを直接に指導した。このばあいに、各産別のいくつかの革命的フラクションを統括し指導するものとして、そのなかの中心的メンバーからなる「F・LC（エフ・エルシー）」が実質上の組織形態としてつくりだされていた。このF・LCは、産別の実質上の指導機関であった。F・LC会議の司会は、労働者メンバーがやっていたが、常任メンバーがこの会議とこの産別組織そのものを指導した。党の政治組織局および労働戦線担当常任会議の決定を、その産別にふさわしいかたちで伝えるのは、常任メンバーしかいず、また、生起した問題について黒田と相談するのも、常任メンバー以外にはいなかったからである。労働者メンバーたちは、常任メンバーの後ろに黒田を見た。そして、彼らは、こまかいことを除いては、常任メンバーの言うことに従った。なぜなら、自分はまだ党員ではなく、党と党員（常任メンバー）によってつくりだされた革命的フラクションのメンバーでしかなかったからであり、常任メンバーは黒田の意向を伝えてくる存在だったからである。

だから、わが党は、労働者自身によってつくられた組織では決してなく、労働者によって構成される党組織は存在せず、革命的フラクションは、黒田と彼の意向をうけた常任メンバーによってつくりだされ、指導される存在であった。

わが党は、内戦に勝利した直後の一九二〇年の革命ロシアのようになっていた、といえる。このときの革命ロシアは、内戦によって優秀な労働者たちは戦死してソビエトは形骸化し、革命政府が設置した国家諸機関だけが残り、これが労働者と農民を指揮していたのである。この国家諸機関を、革命政府への忠誠を誓った・かつてのトラストやシンジケートの事務官が担っていた。彼らは後にスターリン派に所属する官僚となった。――わが党では、労働者党員がいなくなり、労働者細胞が存在せず、スタッフであるはずの常任メンバーが指導部そのものとなっていたことが、このロシアと似ているのである。

ここに問題がある、と私は考える。

私は、一つの産別にかんしては、党員をつくりだし、産別委員会と細胞を強化し確立するためにたたかった。だが、他の産別にかんしては、労働者出身常任メンバーをつくりだしはしたが、労働者党員をつくりだすことはできなかった。黒田に相談したが話にのってもらえなかった。いまとなっては、黒田は、職場で働いているままでの、あるいは、労働組合の役員をやっているままでの、労働者党員をつくるのは、いやだったのだ、というようにしか、私は思えないのである。

思いかえすと、一つの産別の産別委員会および党細胞にかんしては、黒田はこれを真のわが党の組織とはみなしていなかったようなのである。黒田は、この産別の労働者出身常任メンバーたちにたいして――彼らはすでに党員であり党常任メンバーとなっているのに――、「自分がどのようにして組合専従から共産主義者へと飛躍するのか」について書け、という宿題を課していたからである。「党員として・党常任メンバーとして・どのように内部思想闘争を展開し党組織を建設していくのか」について書け、という宿題ではなかったからである。黒田は、彼らを、まだ共産主義者ではない、とみなしている、と私には思えたからである。この宿題を、私は次のようなかたちではじめて知った。彼らの一人は、「こんな宿題をもらってるんだよ」と言って、ふたたびこの産別の担当常任となったばかりの私にむかってニコッと笑った。彼は、何を言われているのか、何を書けばいいのか、まったくわからない、というふうであった。私も、血の気がひくような思いがして、彼に何と言えばいいか、わからなかった。

いま見てきたような、私には理解しがたい・黒田の態度では、真にプロレタリア的主体性をもった労働者および常任メンバーをつくりだすことはできないし、プロレタリア革命を実現するための前衛党を創造することはできない、と私は考えるのである。

現在の「革マル派」中央官僚派の常任メンバーと労働者メンバーを見るにつけて、私はこの思いを強くするのである。

二〇二三年六月一三日

〔6〕 常任メンバーの解任は、黒田寛一の決定（一存）にもとづくものであった

今日からふりかえると、いろいろと検討すべき問題がでてくる。

黒田寛一は、「組織建設の原則問題」で、「わが党組織を「官僚主義におかされている」と非難するような党友」を批判して次のようにのべている。

「もしも、わが党が官僚主義的に変質していると確信しているならば、党員に保証されている「指導的メンバーのリコール」の権利を行使すればよいのである。また、下部諸組織の指導的メンバーを任命制ではなく選挙制にもとづいて選出せよ、と要求し、実行に移す手続きをとればよいのである。だが、そのばあい、もちろん党建設の現段階において、多数決原理にもとづく下部諸組織の指導的メンバーの選出方式の直接的採用が、いかなるものになるかということを熟慮すべきではないか。組合活動家としては一定程度の政治技術を発揮できる仲間が、党員としてはなお未熟である、というようなばあいには、一体どうなるのか。ブルジョア民主主義的選挙方式が愚民主義と紙一重である、ということを考えることも必要である。わが党は組合活動家集団ではないのである。」（『革マル派の五十年第三巻』三六四頁）

だが、わが党には、常任メンバー以外には党員はいなかったのである。ここでのべられている「下部諸

組織」とは革命的フラクションをさす。革命的フラクションは、わが党を構成するその下部組織なのではない。現に存在する革命的フラクションをあたかも党細胞であるかのようにみなして論じたとしても、現実にそぐわず、現実を知っている者には、何がなんだかわからないことになる。

「組合活動家としては一定程度の政治技術を発揮できる仲間が、党員としてはなお未熟である、というような」メンバーはいなかった。同時に組合活動家であるところの党員は、わが党には存在しなかったのである。

「組合活動家としては一定程度の政治技術を発揮できる」というようなことを、わがメンバーを見る基準にしても仕方がない。そのメンバーが自分の職場にわが党の細胞を創造するだけの思想性と組織性と実存的決意をもっているのかどうか、ということが問題なのである。そういうものをもつ労働者メンバーをつくりだしえなかったわれわれ常任メンバーと黒田その人が問題なのである。それはなぜなのか、と問うことが必要なのである。

「任命制」というようなことがここで問題にされているのであるが、革命的フラクションのそれではなく、ここでは触れられていないところの党組織そのもののそれが問題なのである。

わが党では、常任メンバーの解任と教育的措置については、黒田が決定していたのである。この解任が、本人の出席している会議で決定されたのは一度しかないのではないだろうか。この解任と教育的措置については、黒田が判断し決定して、責任ある常任メンバーにつたえて実行していたのである。

常任メンバーの解任と教育的措置が黒田の一存で決定されたことは、常任メンバーに、黒田の判断と見解をそのままおのれのそれと思いこむことがわが組織の成員であることのあかしであり、組織性である、とする意識をうみだし、彼は、つねに、黒田の意向をおしはかるというように、自分の感覚と頭を働かせるようになった、といいうるであろう。これは、自他の未分の意識である。私は、黒田から提起される指示にかんして、自分ではなお判断がつかない点についてはそう意識したうえで、組織の一員としては黒田の指示にのっとって発言し行動する、と同時に、なお判断がつかなかった点については、新たに生起してくる諸問題との関係において考えつづける、というようにした。それでも、私は、当時においては考えぬくことはできず、いま、わが同志たちと論議しながら、過去に残してきたと意識している諸問題について、考察し深めているところなのである。

他のメンバーたちのほとんどは、黒田の指示によって、自分がなくなるほどまでに、あるいは、そもそも自分というものがないほどまでに、右に左にと揺さぶられている、と私には感じられた。これは、「KK〔黒田寛一〕はこう言っているじゃないか」という恫喝的発言に端的にしめされるものであった。今日の中央官僚の面々の無残な姿の根拠はここにある、と私は考えるのである。

二〇二三年六月一三日

〔7〕黒田寛一によるわが党の指揮のもとでは分派闘争の推進は不可能である

黒田寛一は、「組織建設の原則問題」において次のように書いている。

「一般に、権威主義なるものは、指導部自身がつくりだすのではない。もちろん、指導部をかたちづくるメンバーは、組織能力においても理論的能力においても、高い水準を確保し不断に向上することに努めている。それゆえに彼らには一定の権威が組織的に与えられることになる。けれども、このこと自体は権威主義とは無関係である。むしろ、組織づくり上および理論上の一定の能力をもっていると思われる指導的メンバーを――革命的マルクス主義の立場とは無縁なかたちで――憧憬し、そうすることにより彼（ら）の言動に無批判的に迎合し盲従すること、ここから権威主義的意識は知らず識らずのうちに形成されるのである。党指導部内に、また下級組織に、もしも権威主義がうみだされるとするならば、ほかならぬ権威主義的意識をいだいた者それ自身が或る指導的メンバーを物神化することによってのことなのである。」（『組織建設論の開拓 第五巻 党建設論の確立』三六三頁）

だが、はたして、「一般に、権威主義なるものは、指導部自身がつくりだすのではない」、といえるのだろうか。

わが党において、常任メンバーの解任と教育的措置については、これを、黒田が自分の一存で決めて他の常任メンバーたちにつたえて実行する、というかたちでおこなっていたのであったが、こうであるかぎり、常任メンバーの内面に、黒田をわが党の権威として・この正しい人の意向をおしはかり、その意向にそって考え実践する、という意識をうみだすことになるのではないだろうか。

私は、二〇〇六年の冒頭に（これは、黒田の死の直前にあたることとなった）、たとえ自分がどういうことになろうとも、プロレタリア世界革命のために、わが党における内部思想闘争を断固として推進する、と決断した。このときには、私はすでに、組織破壊的指導をおこなったという理由で、黒田によって常任を解任され、教育的措置として、まったく身動きがとれないところにいた。私は、今後どのようにして内部思想闘争を展開するのか、ということを考えなければならなかった。この決断のもとに、私は、のちに「経済建設論」という表題をつけることになるノートを——やらなければならない労働の合間に、党機関誌上の中国経済を分析した諸論文や『資本論』を学習しているというかたちをとって——書きはじめた。二〇〇八年に、私は、みずからを身動きがとれるようにして（私の要請に、党中央指導部は、私を党組織の外側にしばりつけておくと判断し処置した、といえるのであったが）、準備し、革マル派組織を革命的に解体し止揚するためのイデオロギー的＝組織的闘いを遂行したのである。

黒田が自分の一存で常任メンバーの解任と教育的措置を決定したことは、党組織建設において決定的な意味をもつ、と私は考える。何よりも、黒田は、自分の意向とは異なる・ないし・自分への批判にあたると見た発言や組織指導をした常任メンバーにかんしては、そのメンバーを直ちに解任し教育的措置に処すとした、ということが問題だ、と私は思うのである。こうであるかぎり、『組織論序説』において明らかにされている分派闘争の推進は、いや、内部思想闘争の果敢な推進それ自体が、不可能である。常任メンバーが、黒田を批判するかたちで内部思想闘争を展開することは不可能であり、党員は常任メンバーしかいないのだからである。革命的フラクションのメンバーにかんしては、黒田が担当常任メンバーに指示すれば、どのようにでもあつかうことができた。黒田が、常任メンバーの解任と教育的措置を自分が決定する、としていたことは、『組織論序説』における前衛党組織の本質論的規定を否定した、という意味をもつ、と私は考えるのである。

二〇二三年六月一七日

〔8〕黒田寛一は、職場闘争とその主体へのリアルな現実感覚をもっていなかった。これが内部思想闘争を展開しないことの根拠である

わが党には、ほんの初期以外には、中央にも地方にも労働者組織委員会は存在せず、一つの産別を除いては、産別委員会も細胞も存在しなかった。このような組織的現実のもとで、黒田は、自分が想定していなかったような・労働運動への組織的とりくみを指導した私やまた別の傾向の他の常任メンバーにたいしては、組織現実論からの逸脱および資質の欠損として、解任し教育的措置に処した。黒田は、労働運動への組織的とりくみをめぐって生起した問題にかんして、自分自身が身をのりだすかたちで徹底的に内部思想＝理論闘争を展開する、とはしなかったのである。彼は、生起した食い違いを組織的処分に直結したのである。

これは、なぜなのか。

それは、労働運動の推進にかんして、そしてその担い手の分析や変革にかんして、したがってまた職場闘争を展開する具体的なことがらやその主体が問われる思想的および実存的な強さにかんして、黒田がリアルな現実感覚をもっていず、しかも自分がその感覚をもっていないことの自覚がなかった、ということにもとづく、と私は考えるのである。

黒田は「労働者同志諸君へ」において次のようにのべている。

「一九九二年春闘集会の報告者〔土井〕は、一九七〇年代初めにわが同盟から脱落した一労働者ＲＫ、政治技術主義的に組合運動をつくるとともに「獅子はわが子を谷に突きおとす」と称して政治技術主義的に組合員たちをいわばイビりながらわれわれの仲間をつくっていくという、「政治技術主義者」として名高いこのＲＫの子分として育った人であり、ＲＫのこの方式を九二年の報告者は受け継いでいる。」(『革マル派の五十年　第三巻』二三六頁)

いま問題としてとりあげるのは、土井の親分とされているＲＫについての分析である。

このＲＫが「獅子がわが子を谷に突きおとす」と称していた、というのは、私は、黒田のこの文章ではじめて知った。一九九三年に黒田のこのテープを聞くまで、ＲＫ当人がこのように称していた、ということは聞いたことがなかったので、はたしてそうなのか、という疑問をもった。私には何とも言えない。

私が知っているのは、ＲＫがわが組織の成員であり、彼を変革し育てようとしていたときに、当該組合組織の幹部であった彼が組合運動の場面で、組合活動家である・若いわが組織の成員に相対する態度がイビるようなものであったことをさして、黒田が「ライオンスタイル」と規定した、ということである。

ＲＫがわが組織を裏切ったということを体験している一九九三年の黒田とわれわれは、――ＲＫが「獅子がわが子を谷に突きおとす」と称していたか否かにかかわりなく、――彼の活動家への相対し方を「ライオンスタイル」と規定したことを反省しなければならない、と私は考えるのである。

彼の行動は「ライオンスタイル」というようないいものでは決してなかった、というべきである。黒田が提起してわれわれが「そうだ」と思いこんだ「ライオンスタイル」というのは、彼にきわめて好意的であり、彼を高く評価するものであった、といわなければならない。獅子はわが子を立派にたくましく育てるためにその子を谷に突きおとした、とされるのだからである。この時点では、ＲＫの行動を、活動家を活動家として育てるために彼をイビった、と分析したのだからである。

今日からすれば、こんないいものではなかった、というべきである。ＲＫは、組合活動家として頭角をあらわしてきた若いわが組織の成員を、組合の親分である自分に絶対歯向かうことなく従順に従う人間とするために、徹底的に痛めつけ、そのメンバーに恐怖心をうえつけたのだ、というように分析すべきである。その当時に、担当常任メンバーは、「われわれの若い組織成員はＲＫ（わが組織の成員であった彼）に恐怖心をもってしまうのだ」と報告していたのである。育てる、というような話ではない。

ところが、一九九三年の時点で黒田は、「組合員たちをいわばイビりながらわれわれの仲間をつくっていく」というように特徴づけているのである。「組合員たちを」ではない。いくら何でも組合員たちをイビったら、その組合員たちは、組合役員であるＲＫに反発し離反するであろう。組合活動家として育ってきたわが組織成員をイビったのである。「われわれの仲間たちをつくって」いったのではない。すでにわれわれの仲間であるメンバーをイビってそのメンバーに恐怖心をうえつけ骨抜きにしたのである。

一九九三年に黒田がこのように分析したということは、ＲＫがわが組織を裏切ったにもかかわらず、このことの場所的な認識に立脚して、それ以前にＲＫの行動を「ライオンスタイル」と分析して彼を高く評価した自分を、黒田は反省していない、ということをしめしているのである。

ＲＫは他党派の組織成員であったのをわれわれの側にひっくりかえし変革してきたメンバーであったのであり、彼は、組合の下部組織の親分であった。このようなメンバーを分析し変革することにわれわれは失敗した、といわなければならない。このことの自覚が黒田にはない、と私は感じるのである。このようなメンバーをどのように分析し、どのように変革するのかということを構想すること、そして現に変革するのは、大変なのだ、ということを黒田はリアルには実感していない、というように私には感じられるのである。

そうであるかぎり、同時に組合幹部であるところのわが組織成員の変革にかんして、黒田は、内部思想闘争を断固として組織する、とはならない、と私は考えるのである。

二〇二三年六月二〇日

〔9〕黒田寛一による「一匹狼」スタイルの職場闘争の特徴づけは、わけがわからない

黒田寛一は、一九九三年七月に、みずからが「賃プロ魂注入主義者」と名づけた土井の職場闘争の仕方を「一匹狼」スタイルに堕している、として、次のように論じた。

「彼は「われわれは改良主義者ではない。改良闘争などはやらない」と豪語すると同時に、少数派労働運動主義者とまったく同じような、言いかえるとノンセクト・ラディカルズと同じようなはねあがった・突出した闘争形態をとって職場でたたかえ、ということを指示さえしているではないか。彼

は、一九六〇年代の後半に、職場で部長か課長かは知らないけれども、そのポケットから手帳を抜きとって窓の外にポンと捨て、これで解雇された。この過去が、彼の勲章になっている。この勲章を、わが党員のすべてにつけさせようとしているのが、彼の意図なのである。このことに気づかないという労働者同志はいったいボケていないのだろうか、と私は言いたいのである。」(「労働者同志諸君へ」『革マル派の五十年　第三巻』二三八頁)

だが、こんなことなのだろうか。

土井は「改良闘争などはやらない」とは言っていないのであるが、こういうことについてはここでは問わない。

問題は、彼のやったことである。

黒田は、「職場で部長か課長か」「のポケットから手帳を抜きとって窓の外にポンと捨て、これで解雇された」とのべているのであるが、こんなことが「勲章」になるのだろうか。こんなことであれば、馬鹿なことをやった、というだけのことである。労働者同志は誰も見向きもしないであろう。こんなことは、人をふりむかせる「勲章」になりはしない。

これで解雇された、ということだから、現認されている、ということであり、他に誰もいない部屋のハンガーにつるされている服のポケットから、ということではなく、目の前にいる部長か課長かのポケットから、ということであろう。ほんとうにこんなことをやったのなら、この行為を土井がどのように反省しているのかということが問題となるのであり、一九六〇年代の後半の当時に、この反省論議をどのようにやり、何を組織的な教訓としたのか、ということが問題なのである。こんなふうに、土井をあざけるように特徴づけても仕方がない。

もしも、ほんとうに、土井が目の前の部長か課長かのポケットから手帳を抜きとったのであるとするならば、そしてこれが、はねあがった・突出した闘争形態になるのであり、勲章になるのだとするならば、その手帳には、組合員たちを罪におとしいれるための彼らの行動や仕事ぶりが悪辣なかたちで書き記されてあり、土井は、管理者がそんなことをすることに抗議し組合員たちを守るためにその手帳を抜きとって投げ捨てたのだ、というようなことが推測されるのである。これは、黒田がのべたことのみを事実的根拠とする、私の推測であるにすぎない。

私の言いたいことは、土井の行為の全体像を、それの物質的諸条件、端的には管理者および組合員たちとの関係においてつかみとり、これを、土井が組合員としておこなった職場闘争としてとらえかえして、彼のこの実践にはらまれている問題性とその根拠をえぐりださなければ何にもならない、ということである。

ところが、黒田はこういう作業をやらないで、土井の過去の実践を冷ややかに描きだし、そんなことはわかっていたんだ、しかし、自分が知っているときには「それほど歪んだものはなかった」（二三七頁）のだ、と言うのみなのである。

このときにはすでに、土井は、われわれの或る一つの産別組織を攻撃するという歪んだ立場にたって、足利隆志および片桐悠（＝宇津宮研）とともに、右翼組合主義の責任を問うというかたちで、一九八〇年代に常任の任務に就いていた私をふくむ常任メンバーたちを各個撃破的に断罪し、その論議を黒田に電話で報告して、「そうだ、そうだ」と黒田が言ったその会話を、足利と片桐はテープにとって起こし、土井は克明にノートにとって再生産し、それを次の常任会議で読みあげて、自分たちの正当性を主張していたのである。彼らは、黒田の言葉を錦の御旗にして攻撃してくるので、この論議は大変だったのである。こういうことについては、すでに明らかにしてあるので、これ以上は触れない。

ここでの問題は、黒田が、土井の過去の職場での実践を、「……そのポケットから手帳を抜きとって……」というように特徴づけているにすぎない、ということにある。このような特徴づけ方は、わが仲間の職場闘争についていろいろと感覚を働かせ考察している者のすることではないのである。それは、職場闘争とそれの諸条件のおさえどころがまったくわかっていないものなのである。

これでは、黒田は、革命的フラクションのメンバーを党員に変革することはできないし、細胞も産別委員会も中央労働者組織委員会もつくることはできないし、常任メンバーとも労働者同志の職場闘争をめぐって徹底的に内部思想闘争を展開することはできず、また、やるわけにはいかない、ということになってしまうのである。

こういうことが、わが党の組織のゆがみと、黒田の組織指導の問題をその根底から規定しているものだ、と私は思うのである。

二〇二三年六月二二日

〈10〉黒田寛一は、わがメンバーが管理者と面々相対してたたかうときの問題を切開できないのではないか

黒田寛一は、一九六〇年代後半の土井について次のように言った。

「職場で部長か課長かは知らないけれども、そのポケットから手帳を抜きとって窓の外にポンと捨て、これで解雇された。」（「労働者同志諸君へ」『革マル派の五十年　第三巻』二三八頁）

これを、現にあった事実の描写であると考えるならば、これは、職場で土井が組合員として管理者と面々相対している場面である。あるいは、これが労働時間内であるとするならば、土井が職員として働きながら、管理者に文句を言っている場面である。右の引用文で描写されている土井の行動にかかわることとして黒田が言っているのは、「はねあがった・突出した闘争形態」（二三八頁）あるいは「野良犬的な・はねあがり的な闘争形態」（二三九頁）というものだけである。

だが、ここは、職場で起こった何らかのことがらにかんして、土井が――組合員としてであれ、職員としてであれ――管理者に抗議する、という場面なのだから、「闘争形態」というように問題すべき話しではない。組合として指令を発して闘争を展開するその闘争形態の問題ではないのである。土井がとっさに管理者とどう闘争するのか、という問題なのである。すなわち、職場闘争の展開の仕方の問題なのである。

ここは、土井が口で管理者に抗議すべきなのであり、管理者とのイデオロギー闘争の問題なのである。ところが、土井がこういう行動をとったというのであるならば、土井は、口で論理的かつ内容的に管理者をやっつけることができず、手を出してしまった、ということになるのである。こんなことをすれば、解雇されるのは当たり前である。

もしも、こういうことについて土井にきちっと反省をうながし、ほりさげて教訓化しているならば、この過去は、彼の勲章にはなりようがないのである。いろいろな組織的な場面で、土井が自分の反省として教訓をのべることになるのである。

そして、黒田もまた、一九九三年のこの時点で、一九六〇年代後半に生起した問題の教訓としてしゃべるべきものなのである。ところが、黒田がここでこのような冷ややかな描写しかしなかったということは、黒田自身がみずからにその教訓を蓄積していない、ということを意味するのである。すなわち、黒田には、われわれが組合員として・あるいは労働しながら職員として・管理者とどう闘争するのか、どのようにイデオロギー闘争を展開するのか、ということがわからない、ということなのである。

黒田の論述には、一貫して、管理者との闘争というこの問題がないのである。これは、黒田自身がこういう場面に直面した経験がない、そして自分にその経験がないにもかかわらず、そのことの自覚がない、ということにもとづく、と私は考えるのである。

二〇二三年六月二二日

〔11〕「松崎明の政治技術は天下一品だ」

ずうーっと昔に、黒田寛一は私に言った。「松崎明の政治技術は天下一品だ」、と。

そうであることは間違いない。だが、今日から考えると、私は「うーん。しかし、……」という気になってくるのである。

松崎明の現場管理者との闘争、そして彼の国鉄当局者たちとの闘争を、黒田寛一は、彼の政治技術とみていたのではないか、と私には思えてくるのである。すなわち、黒田は、それを、松崎のすぐれた政治技術とみて、彼のそのすぐれた実践を自分が理論化しなければならない、それは自分がなお理論化しえていない部面だ、とは夢にも思わなかったのではないか、ということである。

「社共既成指導部によって歪曲されている労働運動にわれわれが対決し、これをのりこえていくという実践的＝場所的立場（＝のりこえの立場）にたって、……」というように組織現実論的にアプローチするかぎり、われわれが職場で管理者と面々相対して闘争するという問題はでてこないのである。既成の労働運動とこれに対決するわれわれ＝わが前衛党組織との実体的対立を措定して、前衛党たるわれわれがどのように、というように論じるからである。これは、「既成の運動ののりこえの論理」と呼ぶことができる。

われわれ（最初は一人である）が職場で管理者と闘争するという問題を明らかにするためには、われわれとわれわれのおいてある物質的諸条件をもっと具体的なかたちで措定し、「この現実をわれわれ（一人である自分）がのりこえていく、すなわち、この現実を切り拓いていくために自分が闘いを創造する」というようにアプローチしなければならないのである。これにかんしては、「現実そのもののりこえの論理」、「創造の論理」と呼ぶことができるであろう。

このようにして明らかにされる理論は、一九六〇年代・七〇年代の労働運動の現実を措定して論じるならば、「労働運動論」（これは労働運動の本質論として位置づけることができる）として明らかにされる、といえる。このようなものだけではなく、二一世紀現代の物質的諸条件のもとで、「連合」傘下の労働組合での闘いや、組合のない職場での闘いや、またもろもろの地域での闘いや、さらに学生戦線での闘いなどを、われわれがどのように創造していくのか、という・その指針と諸活動をわれわれが解明するものをすべてひっくるめて、これを「階級闘争論」と呼ぼう、というようにわれわれは論議してきたのである。

このことから捉えかえすならば、二〇世紀末から二一世紀はじめにかけて、その物質的諸条件のもとでどのように闘いを切り拓いていくのかについていろいろと提起して労働者同志たちとたたかった私や、さまざまに苦闘しながらも誤謬をおかした同志たちを、黒田が、組織現実論からの逸脱として断罪し教育的措置に処したことは、創意的で活発な内部思想闘争を封じたものだ、といわなければならない。

二〇二三年六月二四日

〔12〕党組織のあるべき理念像を現実として書いたのでは、黒田寛一は自分自身を捉えかえすことはできない

黒田寛一が次のように書いたことが、私はどうしても気になるのである。

「直接的には、わが党は労働者党であって、下から上まですべて労働者自身によってつくりだされなければならない。たとえば中央労働者組織委員会ならびにそれに所属する諸々の産別委員会、もろもろの産別委員会に所属する諸々の労働者細胞、これらすべては労働者自身によって担われている基本組織である。そして常任メンバーとは、かかる党組織の横にいてサポートする者、つまり〝用務員〟でしかないのである。ブルジョア企業の構造を模倣して言うならば、労働者組織委員会から各級産別委員会へ・そして労働者細胞へ、というラインにたいして、スタッフとしての位置づけが与えられるもの、それが常任メンバーとそのグループなのである。主体はあくまでも労働者組織にあり、常任はその〝お手伝い〟でしかないのである。ところが、労働者細胞の確固とした形成が十分になされていないことと関係して、産別委員会組織もなお十分であるとは言いがたい。このようないわばラインをなす労働者組織のピラミッド構造とそれをサポートする常任メンバーとの有機的関係を確保し実現すること、これをわれわれは意識的に追求してきたのであるけれども、なお十分ではない。」(『組織現実

論の開拓 第五巻 党建設論の確立』二四九〜二五〇頁）

この文章の最後の「これをわれわれは意識的に追求してきた」というのは、事実とまったく異なるのである。したがって、ここに引用した文章の内容の全体が事実とはまったく異なるのである。

一つの産別にかんしては、私は、労働者メンバーたちと、彼らが自分の組織活動の反省と党員になる決意を書くための論議をし・そのようにして彼らが書いた加盟決意書を黒田の前で読みあげ、評注をもらい、「これで彼らを党員にしますね」と念押しして、彼らを党員にし細胞と産別委員会を拡大し強化してきたのであった。

それ以外の産別にかんしては、「このメンバーを引き上げたいのだけれども」と私が相談したことにたいして、黒田から「それなら、そのメンバーを常任にせよ」と言われて、うまくいかなかったのである。

土井の組織指導にわれわれ常任メンバーと労働者同志たちが従ったことを反省したときには、黒田自身が「党員の基準が高すぎた」と反省し、中央や地方で、労働者組織委員会準備会や産別委員会準備会をつくりだしたのであったが、いざ、それらを構成している党員候補のメンバーを党員に止揚するという段になったときに、「小論文を書けないとダメだ」と黒田から言われて挫折した。これはきわめて高い基準であった。過去に小論文を書いたことがある、というぐらいならいいのだが、反省論議をいっしょにやり、党員候補のメンバーがようやくにして、自分自身が土井路線に汚染されるかたちで・あるいは半ば反発しながら・やってきた組織指導を反省しその反省内容を対象化しはじめたときに、こう言われても無理があったのである。また、論文を書けるメンバーと組織指導ができるメンバーとは必ずしも一致しなかった。党員にすることができたのは、——常任になることを決意して労働戦線担当常任会議にすでに出席していたところの――労働者出身常任になったメンバーだけであった。

私は現実をこのように認識しているのであるが、黒田は、自分が指導した自分の実践の現実を自分自身で確定し、この自分自身を捉えかえし、自分のこの実践を規定していた自分自身の意識を思い起こしえぐりださなければならない、と私は考えるのである。

この自分を、「……これをわれわれは意識的に追求してきたのであるけれども、なお十分ではない」というように、党組織にかんする自分の理念像の側から、この理念像に合致するものを自分は意識的に追求してきたのだけれども、なお十分ではない、と描いたのでは、現にあった自分自身と自分の意識をおおい隠してしまうことになる、と私は思うのである。これでは、自分の意識はつねにただしいものであった、ということになってしまうのである。したがって、自分の実践はただしいものであった、ということになってしまうのである。この反面では、他者が誤謬をおかしたのだ、ということになってしまうのである。

ここからでてくるのは、自分は組織であり、組織は自分であって、他者は自分に従え、という意識ではないだろうか。

昔、関西では、私は吉川さんとごく普通に話した。労働者同志ともそうだった。

労働者同志は「自分は、職場のちっちゃい闘争はうまいねんけど、春闘みたいな大きな闘争はへたやねん。いろいろ実践はやるんやけど、総括になるとあかんねん。総括できたことあれへんねん」、と教えてくれた。「そうすると、こういうことちゃうのん。」「ちゃう、ちゃう。そんなんちゃうねん。」「そんなら、こんなん?」「そや、そや」などと話した。

黒田とは、こういう話し方にはならないのだとしても、私が、自分がこうだった、としゃべっても、彼が自分を語ってくれたという感じは、私にはしなかった。私には何が何だかわからなかった。この間いろいろと検討してきて、黒田は、あるべき理念像の側から、自分を、それに合致するものとして語っていたのか、と思うと、彼の言葉を私は理解することができるのである。

だが、労働者メンバーを、職場で働いているままで、あるいは組合役員のままで、党員にすると、そのメンバーはいろいろと問題を起こしてしまう、と自分は感じている、ということを、黒田は自覚していたのではないだろうか。それとも、一つの産別以外の産別にかんしては、「党員にしたい」と相談されると、「では、常任にしろ」と直反射的に答えているだけであって、そのように答えている自分を黒田は自覚していないのだろうか。私には、ここがよくわからないのである。

黒田が現にやっていることからすれば、そこには、組合の役員をやっているままではそのメンバーは、政治技術を覚えるだけであって、反スタ革命のためにわが身を投じ、わが組織に全霊をかたむけて献身する共産主義者とはならない、という価値意識が働いている、と私は感じるのである。そして、黒田は、自分はそういう価値意識をもっており、それがただしい、と考えているのだ、と私には思えるのである。

それとも、黒田にとっては、そういう価値意識はあまりにも当然のことであり、自分がそういう意識をもっているということは自分では自覚することはなく、その意識が働くがままに感覚し考えることが自然体であり、その自分を捉えかえす意識はない、ということなのだろうか。それでは、あまりにも自己省察がない、ということになってしまうのである。

他面、組合役員をやっているままでは、政治技術を覚えるだけであって、共産主義者にはなりえない、と自分は考えている、と黒田が自覚しているのだとするならば、こんなふうに考えているのであれば、プロレタリア革命を実現するための強大な前衛党を建設することはできない、という反省的意識が黒田の内にわいてくるのではないか、という気が私にはするのである。党員にすべきメンバーをすべて職場をやめさせて常任メンバーとするのでは、職業革命家集団としての党にしかならず、革命的プロレタリアをその構成実体とする党を建設することはできないからである。

このように考えてくると、黒田の、自己を省察する意識はどこで止まってしまうのか、ということが私にはよくわからないのである。

とにかく、黒田が前衛党の理念として言っていたことと、彼が現にやっていたこととは違うのである。

二〇二三年六月二七日

〈13〉「なぜ戦争をしたのか」と思っているのは、小学生の自分なのか、現在の黒田寛一なのか

黒田寛一が、あるべき理念像を現実として書く傾向がある、ということを考えると、私には、黒田の次の論述が気になってきた。

『実践と場所　第一巻』での黒田の回想である。

「もしも祈ることによって運が開かれるとするならば、夥しい戦死者も戦災者もでないはずではな

いか。戦争をはじめたうえで「武運長久」などと祈ってみてもはじまらない。なぜ戦争をしたのか。「八紘一宇」のために、「大東亜共栄圏」のために、「あらひとがみ天皇」のために、ということを、小学生時代から教えこまれてきたのであるが、子供には何のことやら、さっぱりわからなかった。

「戦意高揚」と称して、出征軍人の歓送のために、町の小学校の約一千名の全校生徒が動員されもした。大国魂神社で神主が「お祓い」をして、「穢(けがれ)」を清め、「祝詞(のりと)」をあげ、柏手をうつ、というような儀式の後に、高等小学生十名ほどからなる大太鼓・小太鼓・竹笛などの鼓笛隊が奏でるところの、「天にかわりて不義を撃つ、忠勇無双のわが兵は……」のリズムにのって行進する出征兵士を、道の両側に並んだ小学生が見送る。

他方、「武運つたなく」戦死をとげた戦没兵士を迎えるさいにも、小学生が動員された。このばあいの行進は、厳かに静々と哀悼の念をもっておこなわれた。欅の葉がかすかに揺れる静けさのなかを、ショパンの葬送行進曲がもの悲しげに響きわたるにすぎないしめやかさであった。――「武運長久」を祈っても、戦死者や戦病死者は次々にでる。むしろ「戦死」ということをまだ何も分からない子供たちに教えこむために、生徒たちを葬送にも動員したのであろう。なんとなく厳粛な気持が子供たちに湧きあがるようにするためであったのであろう。軍隊はなぜあるのか、ということもまったく分からずに、「南京陥落」「保定陥落」の提燈行列に、眠たいのを我慢しながら小学生は動員されもした。……人生の運不運ではなく、「武運長久」とか「武運つたなく」とかということが、小学生の頭にたたきこまれたのであった。」(二〇二～二〇三頁)

これは、私が理解に苦しんだ展開なのである。

最初の部分を見る。

「もしも祈ることによって運が開かれるとするならば、夥しい戦死者も戦災者もでないはずではないか。戦争をはじめたうえで「武運長久」などと祈ってみてもはじまらない。なぜ戦争をしたのか。」

これは、今日の黒田が、当時の小学生の自分が思ったものを思い起こして、それを、当時考えた言語的表現形式で記述したものなのであろうか。それとも、これは、今日の黒田が、当時の戦争に、今日の価値意識のもとに価値判断を下した論述なのだろうか。私は、この部分を最初に読んだときに、その理解に迷った。

この表現を見るかぎりでは、これは前者である、と読み取れるのである。しかも、これが、老齢の反スターリン主義者である黒田が考えたものであるとすれば、あまりにも即自的であるからである。

しかし、である。もしもこれが前者であるとするならば、小学生の黒田は、明確に戦争に疑問をもち、教師や軍人教官の教える「武運長久」という言葉に否定感をいだいて、「なぜ戦争をしたのか」というように、生起した戦争という事態をほりさげるかたちで考えていた、ということになるのである。しかし、とてもそのようには思えない。

もしもそうであったのだとするならば、ここで引用したところの最後の「「武運長久」とか「武運つたなく」とかということが、小学生の頭にたたきこまれたのであった」という記述はでてこないのである。このようにではなく、「……ということが、他の小学生の頭にたたきこまれたのであったが、小学生の私はこの言葉に疑問をもち反発心を抱いたのであった」、と老齢の黒田は書くであろうからである。

そうすると、これは、戦争にそれなりに疑問をもった小学生であるならば抱いたであろう意識を、当時の小学生の自分が思ったものであるかのように、老齢の黒田が描いたものだ、ということになるのである。

「八紘一宇」のために、「大東亜共栄圏」のために、「あらひとがみ天皇」のために、ということを、小学生時代から教えこまれてきたのであるが、子供には何のことやら、さっぱりわからなかった」というように、老齢の黒田は、「子供には」という表現を使って、当時の幼少の自分を対象的に描いているだけであって、教師や軍人教官から教えこまれたこのようなものを、当時の自分はどのように感じ・どのように思ったのか、ということは、まったく書かれていないのである。「子供には、何のことやら、さっぱりわからなかった」と言ったのでは、この「子供」が子供一般をさすのではなく、子供の頃の自分をさすのだと理解したとしても、子供の頃の自分をただ外側から見ているにすぎないものだからである。「あらひとがみ天皇」のために、というような言葉は、その内容を理解するものではなく、子供にも大人にも、或る特有の情感をともなってその心と体にすりこまれるものだからである。黒田は、老齢の今になってもこのような言葉を覚えているのだから、当時の自分は、教えこまれたものに何らかの感情や情感を抱き、何らかの思いをめぐらせた、といえるのである。ところが、そういうものは何ら書かれていないのである。今日の黒田は、当時の自分の内面を思い起こし、それを明らかにして、それを今日的に捉えかえす、ということを何らやっていないのである。これでは、小学生の自分からの今日的な断絶をかちとることができないのである。これでは、幼少の自分の感情や情感やそして思いは、懐かしいもの・いいものとして今日の自分のうちに残ってしまうのである。

現にある老齢の黒田は、あたかも当時の小学生の自分は戦争に疑問を抱いていたかのように、あるべき小学生の理念像を想定しつつ、現に幼少の自分がその場面でもった感情や情感やそして思いを、あるべき理念像である小学生の自分が抱いているものとして昇華するかたちで写し取っていくのである。

「「武運つたなく」戦死をとげた戦没兵士を迎える……行進は、厳かに静々と哀悼の念をもっておこなわれた。欅の葉がかすかに揺れる静けさのなかを、ショパンの葬送行進曲がもの悲しげに響きわたるにすぎないしめやかさであった」、という描写は、当時の自分の感情と情感と思いを、懐かしく・いいものとして写し取ったものだ、といえよう。このばあいに、このように写し取られたものは、写し取っている老齢の黒田の意識のなかでは、戦争に疑問を抱いていた小学生という理念像の大枠のなかに入れられているので、何ら否定すべきものではないのである。

どうも、黒田は、現在の自己と過去の自己とを超越する自己の立場にたって自己を描いているようなのである。超越的自己の立場にたった自己には、現在の自己にも過去の自己にも否定すべきものは何もないのである。

黒田は、時空を超え、あらゆるものを達観した立場にたっているのである。あらゆるものを超越した物質がおのれなのである。

私にはこのように感じられる。

二〇二三年七月一日

五　階級闘争論的解明

〔1〕階級闘争論的立場（〇⇒C）

われわれが組織的に論議し実践してきたその闘いから、教訓をつかみとるならば、次のようにいいうるであろう。

われわれが職場で闘いを創造するためには、われわれは、みずからの職場の現実に対決し・これを変革する、という実践的＝場所的立場にたって、みずからの実践の指針を解明しなければならない。

ここで、職場で闘いを創造する実践主体であるわれわれとは、この職場に創造されている党細胞である。職場にまだ党細胞が創造されていず、党員としては一人というばあいには、党員であるこの私が、ここにいうわれわれである。労働組合が確立されている職場では、われわれは党員であると同時にこの組合に所属し、労働組合員あるいは組合役員として活動するのであり、組合の存在しない職場では、われわれは党員であると同時に、一労働者として活動するのである。

われわれが対決する対象は、職場の現実である。職場のこの現実は、それがわれわれの関与しないものであるのは、自分が就職した一時点だけであって、場所的には、われわれがつくりかえてきて現にあるところの現実である。この現実は、会社当局（経営陣および各級管理者）がかけてきている攻撃と彼らによる労働者たちの支配の度合、また労働者たちの反抗の状況、当局と労働組合あるいはわれわれおよびわれわれが組織している労働者たちとの力関係、われわれがつくりだしえているわれわれの地歩などの諸契機をふくむ総体をなす。

この指針を解明する主体をなすわれわれとはわが党そのものであり、この職場の細胞あるいは党員が主体的に解明するのであると同時に、他の党員がこの職場の党員にわが身をうつしいれて考察し、組織的に論議して解明するのである。

ここで、われわれが職場の現実に対決し・これを変革する、という実践的＝場所的立場を「階級闘争論的立場」と呼ぼう。「われわれ⇒職場の現実」というように表現することができる。

記号としては、職場の現実に対決するわれわれを、わが組織という意味において、Oと表記しよう。これは、すでにのべたように、職場の細胞あるいはわが党員をさす。

現実のほうをどのように表記するか。現実という語は、英語ではrealityであるが、O⇒Rとすると、われわれが「革マル派」中央官僚派を革命的に解体する立場というのとまぎらわしくなる。そこで、階級的現実と考え、階級という語は、classだから、ここからCをとってこよう。このようにして、「O⇒C」と表記するのがいいのではないだろうか。

階級闘争論的アプローチというように考えるばあいには、「既成の運動ののりこえの論理」のばあいに、O⇒P_1とか、P_1⬇P_2とかと表記するのとは異なって、O⇒C_1とか、C_1⬇C_2とかというような記号的表現は使わない。われわれは職場のいまの現実をのりこえ新たな現実をつくりだすことを目的とするのではなく、あくまでも、われわれは、職場の階級的現実を変革する闘いを創造し、かつこれをとおして同時に、わが党の細胞を創造し確立すること、これを目的とする（この目的の実現は、存在論的には新たな現実の創造といいうるのであるが、われわれにとっては、このような存在論的基礎づけは問題ではないからである）のであり、労働者階級を階級として組織することを目的とするのだからである。われわれは、マルクスのいうように、闘いの敗北をものともしないのである。

二〇二三年七月二日

〔2〕イタリアの一九一九―二〇年の工場評議会運動からどのように教訓をつかみとるべきか

二一世紀現代においてわれわれはどのようにプロレタリア革命を実現すべきなのか、という問題を明らかにするためには、ロシアの一九一七年の革命の直後のイタリアにおける一九一九―二〇年の工場評議会運動から教訓をつかみとらなければならない。

この問題について考察していくためには、『グラムシ問題別選集第1巻　工場評議会運動』（アントニオ・グラムシ著、石堂清倫編、河野穣・植村邦訳、現代の理論社、一九七一年刊）を検討していくのが適切であろう。

訳者は、この本の最後に次のように書いている。

「一九一九年五月一日、社会党トリノ支部に所属していたアントニオ・グラムシ（当時二八歳）、アンジェロ・タスカ（二七歳）、パルミーロ・トリアッティ（二六歳）、ウンベルト・テルラチーニ（二四歳）の手によって、「週刊社会主義文化批評」としての「オルディネ・ヌオーヴォ」〔新しい秩序〕第一号が発行された。『オルディネ・ヌオーヴォ』はほどなく工場評議会の提唱者となり、この運動の推進者となった。」（二六三頁）

これから問題になる「工場内部委員会」については、訳者は次のように解説している。

「（当時の）工場内部委員会は全国的な水準では、資本家にその権利を承認させることができない存在であった。一九一九年二月にはじめて、ＦＩＯＭ（金属労働者連盟）が雇主連盟と協定を結び、工場の内部において労働者の利益を擁護し、主張する代表機構を設立する権利を獲得した。」（二六五頁）

グラムシは、『オルディネ・ヌオーヴォ』（一九一九年六月二一日付）に「労働者民主主義」という論文を書き、次のように主張した。

「工場内部委員会は労働者民主主義の機関であり、これを企業主の課する限界から解放し、新しい生命とエネルギーをこの機関に注入することが必要である。工場内部委員会は、今日、工場における資本家の権力を制限し、決定と規律の機能を遂行している。工場内部委員会は発展し、豊かになって、明日には指導と管理の有用な機能全体にわたって資本家にとって代わるプロレタリア権力の機関とならねばならぬ。

すでに今日から、労働者は、最良の最も意識の高い同志の間から選ばれる広範な代表委員総会の選出にとりかからねばならない。この選出のスローガンは、「工場の全権力を工場委員会に」であるが、これは、「国家の全権力を労働者と農民の評議会へ」というもう一つのスローガンに呼応する。

党および地区班に組織された共産主義者のまえには、革命の具体的宣伝の広大な分野が開けている。班は都市支部と一致して、地区の労働者勢力を調査せねばならない。そして、工場代表委員の地区評議会の本拠、すなわち、地区のプロレタリア的エネルギー全体を結合し、集中する中枢とならねばならない。選挙の方式は、工場の大きさにしたがって変ることがあるだろうが、カテゴリー別に分れた一五人の労働者ごとに一人の代表委員を選出させることに（イギリスの工場でそうしているように）務めるべきであろう。このようにして段階ごとの選出を経て、労働全体（労働者、職員、熟練者）の代表者を包含する工場代表委員会に達するべきであろう。地区委員会には、この地区に住むほかの部門の勤労者、すなわち、給仕、車夫、電車従業員、鉄道員、掃除人夫、個人的使用人、店員等の代表をも、加えるように努めるべきであろう。

地区委員会はこの地区に住む勤労者階級全体の結晶でなければならない。それは、合法的な、権威のある結晶であり、自発的に委任される権力にうらづけられた規律を尊重させることができ、そして、地区全体においてあらゆる労働の即時・全面的な停止を指令することのできる、結晶でなければならない。

地区委員会は拡大すれば都市委員会となる。これは社会党および労働組合によって統制され、規律に従わされる。」（七〜八頁）

ここで、グラムシは、創造されるべき工場労働者代表機関を、プロレタリア権力の機関として明らかにしているのであり、この工場労働者代表機関と同時に、これを基礎にして地区の代表機関を創造すべきこと、そしてロシア革命での「全権力をソビエトへ」に倣って「国家の全権力を労働者と農民の評議会へ」ということを、提起しているのである。

この意味においては、ロシア革命では、地区ソビエトを基礎にして、プロレタリア権力の実体的基礎をなす全国的な統一ソビエトが創造され、この地区ソビエトとは別に工場委員会は組織された、ということに比するならば、グラムシが、ここで、工場代表委員が地区評議会を構成すべきことを明確にしていることは、ロシア革命におけるソビエトと工場委員会の連関の欠如という問題を克服する方向性をもったものなのである。

他面では、グラムシが「都市委員会」にかんして「社会党および労働組合によって統制され、規律に従わされる」としていることにかんしては、彼が今後どのように明らかにしていくのかということについて注目し考察していく必要がある。

二〇二三年七月四日

〔3〕「グラムシは、党内にも労働組合内にも工場評議会派のフラクションをつくりあげる努力をしなかった」

わが仲間から次のような連絡をもらった。

「山崎功『イタリア労働運動史』（青木書店、一九七〇年刊）は、工場評議会運動について詳細に論じられていて参考になります。とくに、グラムシについて、「工場労働者を〝マルクス主義的に教育する〟ことにグラムシは献身した。しかし党内にも、労働組合内にも、協議会（評議会）派のフラクションをつくりあげる努力はなされなかった。」と学者らしからぬ的確な批判が書かれています。」

これはおもしろい。まさに、このことが問題なのである。

二〇二三年七月六日

〔4〕工場評議会の結成を全国的な労働者と農民の評議会の創造へとたかめていくためのプロレタリア前衛党の創造の欠如

グラムシの本を読みすすめながら順次検討していくよりも前に、訳者のあとがき的な文章とグラムシの最初の論文とを読んだことをもとにして言いうることを先に書いたほうが適切であろう。

グラムシらの闘いの決定的な問題は、彼らが、トリノの自動車工場を中心とする労働者たちに——工場内部委員会の限界を突破するかたちで——工場評議会を結成すべきことを呼びかけはしたけれども、これを呼びかけるだけの、すなわちそのような週刊の新聞を出すだけの、社会党内の共産主義的インテリゲンツィアの小グループにとどまったことにある。イタリア社会党は、第一次世界大戦の勃発時に戦争に協力しない立場を堅持し、一九一九年には第三インターナショナルへの加盟を決議した（三月）のであったが、その指導部は、「最大限綱領主義者」と呼ばれる部分と右派の改良主義者とににぎられていたのであった。この指導部に対決し、第一次世界大戦とロシア革命の直後の革命的情勢のもとで、工場評議会の結成をトリノから全国へとおしひろげるとともに、この工場評議会を基礎にして地区の労働者評議会（地区ソビエト）を結成し、これらを全国的な労働者と農民の評議会（統一ソビエト）の創造へとたかめ、これを実体的基礎としてプロレタリア権力を樹立する、この闘いを遂行するためのプロレタリア前衛党を創造するために、党内分派を結成し、分派闘争を断固として展開する、というようにはしなかったこと、このような指針を解明することができなかったこと、このことが、グラムシらの決定的な問題なのである。

他面からするならば、次のようにいわなければならない。グラムシらは、既存の労働組合が熟練工の労働者たちをその成員とし、社会党の指導部とむすびついた改良主義者たちがこの組合の指導部を牛耳っていることに対抗して、新たに工場にひきいれられた未熟練工をふくむ労働者たちの全員の投票でもってその代表を選出するというかたちで工場評議会を創造すべきことを呼びかけ、トリノの自動車工場の労働者たちはこれを実現したのであった。だが、そうではあっても、労働組合の改良主義的指導部に対決して、工場評議会を自分の職場に創造するとともに・この闘いを他の地域および他の諸産業におしひろげていく、という強靭な意志をもった労働者たちを大量につくりだし、彼らを構成員として各職場に・この闘いの実体的基礎をなすフラクションを創造し、かつ彼らをマルクス主義者へとたかめて、彼ら革命的プロレタリアを構成実体とする前衛党の細胞を創造していく、という・みずからの組織的闘いの指針を構想し明らかにすることが、グラムシらにはできなかったのである。

あくまでも、彼らは、革命的インテリゲンツィアのグループが、労働者階級の外側から方針をうちだし、労働者たちを動かす、というように発想していたこと、これが決定的な問題なのである。

二〇二三年七月六日

〔5〕イタリアにおける工場評議会の創造の闘いの指針を、階級闘争論的立場にたって解明すべきである

私はいま考えているところなのであるが、われわれがいろいろと論議してきたことからするならば、われわれは次のように考えるべきではないだろうか。

イタリアにおける一九一九—二〇年の工場評議会運動を、われわれが今日的に検討するばあいには、われわれは、当時のイタリアの革命的プロレタリアの立場にわが身をうつしいれ、イタリアの前衛党＝われわれが・われわれのおいてある場の階級的現実を変革するという実践的＝場所的立場、すなわち階級闘争論的立場にたって、われわれの実践の指針を解明する、というように考えなければならない、と。

当時のイタリアでは食糧事情が悪化し、労働者たちの不満は鬱積して階級情勢は緊迫していたのであったが、社会党と労働総同盟の指導部は改良主義者によってにぎられていた。トリノの自動車工場の労働者たちは、工場内部委員会を基礎にして起ちあがった。グラムシらのマルクス主義者のグループは、プロレタリア権力を樹立するという展望のもとに、その内部委員会を基礎にして工場評議会を結成すべきことを呼びかけた。

このような主客諸条件のもとでのグラムシらのマルクス主義者のグループの立場に、二一世紀現代のわ

われわれはわが身をうつしいれるのであり、このわれわれは、プロレタリア前衛党たるものとして、われわれのおいてある場たるイタリアの階級的現実を変革する、という実践的＝場所的立場にたって、われわれの実践の指針を解明する、というように考えるべきではないか、ということである。

二〇二三年七月七日

〔6〕山尾行平さんの、イタリアの工場評議会運動敗北の根拠をえぐりだした論文

わが仲間の山尾行平さんから、イタリアの工場評議会運動敗北の主体的根拠をえぐりだした論文が送られてきた。それをここに掲載する。

工場評議会運動敗北の主体的根拠――グラムシの自己批判（アルフォンソ・レオネッティあて書簡一九二四・一・二八）をめぐって

山尾行平

（1）「一九一九年―一九二〇年に我々は最も重大な誤りを犯した」――組織戦術の欠如

グラムシは一九二四年一月二八日のレオネッティあての書簡で一九一九年から一九二〇年の工場評議会

運動について、「これは確かに小さなことではないが、有力な大衆運動を引き起こし、これを組織しただけである。」と控えめに語る。それどころか「われわれは一九一九―二〇年に最も重大な誤りを犯し」たのだ、と自己批判するのである。（石堂清倫編『グラムシ問題別選集3　ロシア革命とコミンテルン』現代の理論社、一九七二年刊、二二三頁）

①　積極的に分派を形成しなかったこと

そこでグラムシが「最も重大な誤り」としているのは、第一に「出世主義と呼ばれるのをおそれて、われわれは分派を形成せず、これを全イタリアに組織しようと努めなかった」ことである。「出世主義」云々の趣旨ははっきりしないが、革命的空言辞を弄するだけで無為無策であったイタリア社会党指導部に対決する党内分派闘争を展開しなかった、このため一九二〇年四月のトリノゼネストも九月イタリア全土に拡大した工場占拠もプロレタリア前衛党の指導を欠いたまま敗北したのだ、とグラムシは言う。

前日のトリアッティあて書簡でもグラムシは「われわれは一九一九年と一九二〇年に、トリノの外まで広がり、『オルディネ・ヌオーヴォ』がすることができたような宣伝以上のものであった一分派を形成しながら、社会党指導部を決然として攻撃しないという重大な誤謬を犯した」と同様の自己批判を口にするのである。「宣伝以上のものであった一分派」に、トリノの工場評議会運動をつくりだしたのは自分たちであるという矜持がにじんでいるではないか。イタリアプロレタリアートの未来に責任をもつ革命家は、腐敗した党から排除されることをおそれず、〈いま・ここ〉で革命的分派闘争に起たねばならないのだ。

② 工場評議会運動を全国化しなかったこと

第二に、「労働組合に分裂が起こりあまりにも時期尚早に社会党から放逐されるのをおそれて、トリノの工場評議会に、自主的で全国に大きな影響力を行使することのできるよう指導中心を与えようとしなかった」ことである。グラムシらオルディネ・ヌオーヴォ派の働きかけで一九一九年秋にはトリノの金属労働者を中心に組織された工場評議会は、一九二〇年四月のトリノでのゼネスト、九月の工場占拠において闘争の主体となった。トリノの金属労働者が突出したとはいえ、イタリア全国で闘われた工場占拠の際にはトリノにとどまらずイタリア各地に「工場評議会」がつくられた。しかし、それらはトリノのような基準なしにつくられた「内部委員会とＦＩＯＭ（イタリア金属労働者連盟）企業支部の混交」の所産としての名ばかり工場評議会にすぎなかった。たとえばＦＩＯＭフィレンツェ支部は「工場評議会は、職場委員たちの間で選出される労働者と、職員の代表の同数により構成されるべきである」と指示していた（Ｐ・スプリアーノ『工場占拠イタリア一九二〇』鹿砦社）。

一五万人以上の労働者をまきこみ、「トリーノほどに占拠が強力で、武装されており、同質的で、組織されていた都市は他になかった」（同前）と言われるオルディネ・ヌオーヴォ派の工場評議会運動がトリノに限定されてしまった理由は、やはりグラムシらに組織戦術が欠けていたことにもとめられるだろう。グラムシらは「労働者のなかに直接はいり、起居をともにする生活に転じていった」（山崎功『イタリア労働運動史』一九七〇年、青木書店）のであるが、いかにして自派のフラクションを目的意識的に創造するのかの理論的解明を欠いたのであった。

対照的にこの時期、自派のフラクションをイタリア全国に拡大していたのはボルディガ派である。グラムシが能力の点で「すくなくとも三人前の価値がある」と評したボルディガは「自己の支持者をナポリの友人から鉄道・郵便労働者、さらにトリノ、ミラノなど全国へ拡大してきた」のであり、一九一九年八月に「共産主義フラクションの諸原則の全般的宣言」を発表、自派の社会党内フラクションの独立にふみきった（河野穣「イタリアの労使関係と諸政党についての覚書」）。一九二〇年九月の工場占拠の敗北局面で、トリノのフィアット中央工場の会議では、ボルディガ派のフラクションの活動家たちは社会党と組合の指導者を烈しく非難したのだった（『工場占拠イタリア一九二〇』一八四頁）。

アマデーオ（ボルディガ）にたいするグラムシの描写を列挙しておく。「すべてが論理的に首尾一貫している」「法外なまでに不屈で頑固な性格」「アマデーオほどの意志と活動能力がなければ打破できない事態」「この上なく強い自信」「決して妥協はしない」等々。こういう革命家が精力的に活動した結果が全国的フラクションであったろう。

（２）工場評議会の位置づけ――権力奪取なき生産管理の自立化

①　ロシアの工場委員会とのちがい

一九一七年ロシア二月革命後の工場委員会は、革命によって不在となった工場管理部の機能を代行するものとして自然発生的に生まれたものと、帝政が打倒されると同時に組織された労働者代表ソヴィエトの指示によって地区ソヴィエトと同様につくられたものがあるが、どちらもソヴィエトとは別に後からつくられたのであった。したがって一〇月革命を担ったソヴィエトを基底で支えたものではなかった。

グラムシの工場評議会は、地区委員会とともに都市ソヴィエトの基底としてプロレタリア独裁権力を構成するべきものであり、グラムシは実際、一九二〇年九月の工場占拠のただなかで都市ソヴィエトの展望を論じたのである（「赤い日曜日」）。ロシアの工場委員会とは逆に、工場評議会がソヴィエトに先立つのである。

② ボルディガによる批判について

一九二〇年九月、経営者のロックアウトに対抗しておこなわれた工場占拠の際に、トリノのフィアット自動車工場の工場評議会は、労働者に労働の継続を命じた。これにともない、フィアット中央工場では平常時の日産六七～六八台に対して占拠期間中は三七台の自動車が生産されたという（『工場占拠イタリア一九二〇』九一頁）。工場評議会による生産の労働者統制、生産管理が実現したのである。

グラムシは「プロレタリアート独裁は、生産者――賃金労働者や資本の奴隷ではない――の固有な活動に特徴的な型の組織のなかに体現されることができる。工場評議会はこの組織の最初の細胞である。」（「労働組合と評議会」）という。たしかに勝利したプロレタリアートは工場評議会を実体的基礎に生産を管理することになるだろう。しかし、生産手段がブルジョアジーに握られている限り、いくら管理業務を代行しても工場労働者は賃金労働者として搾取されつづけるのである。工場占拠期間中の賃金の支払いを経営者が拒否しようが、あるいは協同組合が立て替えて支払おうが、事情はかわらない。生産を管理することによって、賃金労働者が「生産者」になるのではない。

グラムシは「二つの革命」を語ることをとおして、ブルジョア国家権力の打倒にもとづくプロレタリアート独裁権力の樹立と資本家からの生産手段の奪取という結節点を曖昧にしたといえる。この点にボルディガの批判は向けられる（「イタリアにおける労働者評議会の設立に向けて」）。「共産主義的生産を管理するために形成されると期待される正式な構造を、資本主義の賃金労働者たちの間で現在のプロレタリア環境に導入することによって、それ自身の中に、そして内面を通じて存在する力が生み出されるだろうと信じることは、重大な誤りである。」「政治権力が資本家階級の手にある限り、プロレタリアートの一般的な革命的利益を体現する代表機関は政治の場でしか見出されない。」「プロレタリア権力は工場評議会や委員会を経由することなく、町や国の自治体ソヴィエトの内部で直接形成される。」

もちろんグラムシも工場評議会の闘争を基礎に都市ソヴィエトをつくり、ブルジョア国家権力を打倒することをめざしたのであったし、工場評議会による生産管理は、とくにトリノの場合は、プロレタリア国家における生産の管理に直結する質のものであった。ただ、生産管理を、サボタージュやストライキという闘争形態とは別次元のものとして、それを徹底することによって「二つの革命」の一方が達成されるかのように思い描いた点において、労働者代表ソヴィエトおよび地区ソヴィエトの組織化が後景に退けられたのではないか。実際、工場外への運動の波及はなく、グラムシらは占拠中の工場内の集会でアジテーションをしながらも、「支配階級、搾取階級を廃絶するという条件でのみ交渉する」と宣言し武装蜂起のために工場から出撃しようとしたフィアット中央工場の労働者たちをおさえなければならなかったのである。

二〇二三年七月八日

〔7〕階級闘争論的立場にたつ、と書いたが、これは、ごく当たり前の、実践的立場にたつ、ということなのだ

私はいろいろ考えてきたのだが、どう考えても次のようなことなのだ。

われわれは、われわれがおいてある場の階級的現実を変革する、という実践的＝場所的立場にたって、われわれの実践の指針を解明しなければならない。この実践的＝場所的立場を階級闘争論的立場と呼び、記号的には、O⇒Cと表記しよう。――このように私は書いた。しかし、このことは、われわれがマルクス＝黒田寛一の実践的唯物論の立場にたつかぎり、ごく当たり前のことなのである。何ら新しいことを言っているものではないのである。

われわれは、マルクス＝黒田寛一の実践的唯物論の立場にたって言う。われわれは、われわれのおいてある場所をなす・この物質的現実を変革する、という実践的＝場所的立場にたって、われわれの実践の指針を解明しなければならない、と。先のことは、この「物質的現実」を「階級的現実」というように具体的に限定しただけのことなのである。いいかえるならば、物質的現実という場所を措定して、われわれの実践そのものを主体的に解明するならば、実践論そのものあるいは哲学的人間論が明らかにされるのにたいして、われわれの階級的実践・すなわち・われわれの革命実践そのものを主体的に解明するためには、

われわれのおいてある場としては階級的現実を措定しなければならない、ということである。

黒田寛一が『日本の反スターリン主義運動　2』で明らかにした「のりこえの立場」という規定を基準として思惟していた私は、「階級闘争論的立場」というようなことを考えなければならなかった、ということなのである。あえていえば、私は、黒田寛一が解明した「のりこえの立場」「のりこえの論理」という規定の呪縛からみずからを解放するために苦悶してきた、ということなのである。

私が到達した結論は、黒田寛一の「のりこえの立場」「のりこえの論理」という規定は、一九六五年のベトナム反戦闘争を物質的基礎として解明されたものであって、この物質的基礎との関係において考察されなければならない、ということであった。この意味においては、この規定は、実践的立場についての一般的規定にとっては特殊的なのである。こう言い切ることは、黒田寛一に学び組織的に実践してきた私にとっては勇気のいることなのである。

黒田寛一は、『日本の反スターリン主義運動　2』において次のように解明したのであった。

「すなわちまず、既成指導部、とくに社共両党によって歪曲されている今日の労働運動、ソコ存在する既成の大衆運動（P_1）を左翼的あるいは革命的にのりこえていく（P_1➡P_2）という実践的＝場所的立場（＝「のりこえの立場」）において、それ（1〈運動上ののりこえ〉）を実現していくためには、まずもって既成の運動（P_1）をささえ規定している理論（他党派の戦術やイデオロギーとしてのE_0）をわれわれがとらえ（E_1――これはE_0と媒介的に合致する）、かつそれへの批判を通じてわれわれの独特な（あるいは独自な）闘争＝組織戦術（E_2）を提起し（P_1…→E_1――→E_2）、そしてこれ（2〈理論上ののりこえ〉）を物質化する（E_2…→P_2）ために組織的にたたかう（E_2…→O―・―・→P_2）とともに、これらの闘いを通じて既成の大衆運動を実体的にささえている諸組織、直接的には社共両党（O_0）を革命的に解体する（O_0〜〜→O）ための党派闘争（3〈組織上ののりこえ〉）をかちぬく。」（二八一・二八四頁）

ここで明らかにされている諸規定は、その物質的基礎をなす一九六五年のベトナム反戦闘争との関係において考察することが必要である。（さらには、一九六五年の論議のときに、山代冬樹が『ヒューマニズムとマルクス主義』のなかの「ソ連核実験と革命的プロレタリアート」という黒田論文を闘争論の典型とおいて闘争論というものを提唱した、ということからするならば、米ソ核実験反対闘争をも、闘争論という新たな理論領域の開拓が提起される物質的基礎としておさえることができる。）

この「のりこえの論理」は、われわれ（O）が既成の運動（P_1）に対決する（O⇒P_1）という実践的立場にたつ、ということを出発点とする。

ここでは、われわれのおいてある場として、日本の階級闘争全体が措定されているのであり、ここにいう「われわれ」とは、わが党そのものをさす。「既成の運動」とは、既成指導部によって歪曲されている運動をさすのであって、われわれが組織している運動はふくまない。と同時に、それは、日本の国家権力および支配階級と被支配階級とのぶつかり合いそのものではなく、被支配階級の側の運動をさす。

このような抽象が可能となるのは、アメリカ帝国主義のベトナムへの軍事侵略、すなわちベトナムで勃発した熱い戦争という事態を日本においてわれわれがうけとめ、既成の反対運動をのりこえるという立場にたつからである。いいかえるならば、この事態は、日本国家が何らかの軍事行動を起こしたということではなく、日本の国家権力および支配階級と被支配階級との力関係というようなことは直接には問題とならず、このことにもとづいて被支配階級の運動を独自的にとりだす、という抽象が可能となるのである。

また、既成の反対運動がもりあがっており、これに比してはわれわれの組織的力量は微弱であり、われわれの組織している運動というようなものは捨象して考えることができるので、われわれが既成の運動に対決する（O⇒P_1）というように問題をたてることができるのである。

さらに、われわれの独特な闘争＝組織戦術（E_2）を提起し、そしてこれを物質化する、という規定が妥当するのは、全学連の運動である。労働戦線では、われわれの組織的力量は微弱であり、このようにはできない。すなわち、学生戦線においてはその運動は党派的に分断されており、党派的に分断されたうえでの全学連の執行部をわがマル学同がにぎっている、ということにもとづいて、「P_1➡P_2」という抽象が可能となるのである。

したがって、一九六五年の動力車労組の9・20反合理化闘争のわれわれの実践の指針の解明にかんしては、いま見てきた「のりこえの論理」という枠組みを基準として考えることはできないのである。

「既成の運動（P_1）」という規定が妥当する現実は存在しない。9・20闘争は、動力車労組内においてわが同志たちが組織的および大衆的な基盤を築きあげてきたことを基礎にして、松崎明が組合役員として提起し、東京地本が特認闘争というかたちで本部の了承をとりつけ、松崎が書記長をやっている田端支部を拠点として設定したものであったのだからである。右に見た枠組みがもちこまれるかぎり、わが同志たちが組合役員として組織している運動が「既成の運動（P_1）」とみなされてしまうことになるのであり、このようなかたちで常任メンバー・本庄武にかためられたフラクション・メンバーは、本部のスト中止指令を職場集会で伝える松崎明に「裏切者！ぶっ殺すぞ！」と叫ぶことになってしまうのである。

このようなことになってしまうのは、われわれとわれわれのおいてある場というものがおさえられていないからである。松崎明や国鉄委員会のメンバーが出席しない会議で、黒田寛一と本庄武とで「一人乗務反対！ロングラン反対！」という闘争スローガンを決め、これでやれ、と国鉄委員会のメンバーたちに指示しても仕方がないのである。これは、労働者階級の外部にある党指導部が戦術を決定し、この戦術を、内にあると同時に外にある前衛党組織が実現する、という考え方にもとづくのである。

この9・20闘争のわれわれの実践の指針を解明するためには、われわれは、われわれ国鉄委員会が国鉄の階級的現実に対決する、という実践的立場にたたなければならない。対決する主体たるわれわれは国鉄委員会であり、対決する対象は国鉄の階級的現実そのものである。対象として、動労の運動だけをとりだす（抽象する）ことはできない。ストライキを構えるのだから、国鉄当局と動労（および国労）との力関係、動労の団結の度合、そしてわれわれの組織的力量というようなものすべてを、階級的現実の諸契機としておさえなければならないのである。

これらのことがらは、ベトナム反戦闘争を物質的基礎として考えるばあいとでは、その理論的諸規定の枠組みが異なるのである。両者では、われわれとわれわれのおいてある場が異なるからである。

このように考えてくるならば、われわれがわが党として提起したわが党の闘争＝組織戦術（E_2）を、職場の特殊的および個別的の諸条件の具体的分析にふまえて、われわれが組合員あるいは組合役員としてうちだす組合の運動＝組織方針（E_2u）として具体化する、という考え方は誤りである、といわなければならない。私自身がこれまでこのように論じてきた展開はすべて誤謬である。私はここに自己批判する。

これまでそう考えられてきたように、前者を、日本階級闘争総体・あるいは・一定の産業部門の階級闘争総体を措定して解明する、と考えるのであるならば、前者と後者とでは、われわれとわれわれのおいてある場が異なるのである。両者は、いくら、諸条件の具体的分析にふまえる、ということを言ったとしても、前者を後者に具体化する、という関係をなすのではないのである。職場の諸課題にかんするわれわれの実践の指針の解明に、すでに明らかにされているところの全国的ないし産業全体の課題にかんするわれわれの実践の指針の内容を現実的に適用する、ということは言いうる。これは、あらゆる理論の適用と同じ構造である。

職場の諸課題にかんしては、われわれは、われわれ党細胞が職場の階級的現実に対決し・これを変革する、という実践的立場にたって、われわれの実践の指針を解明しなければならない。このようにして解明されたところのものを、われわれの闘争＝組織戦術と呼ぶことができる。このばあいに、われわれは、われわれの闘争＝組織戦術の内容として、われわれが組合員あるいは組合役員としてうちだす組合の運動＝組織方針の内容も、われわれはフラクション活動をどのように展開すべきなのか、そのときのイデオロギー闘争の内容はどうであるべきか、ということも、さらに、わが党のわが党としての独自の宣伝・煽動にかんしては、どうすべきなのか、機関紙上に論文を出すのか、ビラを撒くのか、その内容はどうすべきか、というようなことすべてを解明するのである。機関紙上に掲載する論文の内容が、われわれのわが党としての闘争＝組織戦術をなすわけではない。われわれは、われわれの組織戦術にふまえて、機関紙上（ブログ上）ではどのようなものをどうだすのか、あるいはださないのか、ということを解明するのである。もちろん、機関紙上（ブログ上）に公表するわけだから、それが、わが党の公式の見解ということになるのである。

これらのすべてにかんしては、われわれは内部文書として対象化しなければならないのであり、実際にはすべてを文章として書くのは大変なので、これらのなかの諸部分を分担して文章として対象化し、その全体を組織討議で確認する、というようにしなければならない。

二〇二三年七月九日

〔8〕グラムシとボルディガとの対立をどのように止揚すべきなのか

一九一九―二〇年のイタリアのトリノでグラムシは労働者たちに工場評議会を結成すべきことを呼びかけ実践した。これにたいして、ボルディガは、行政区で地区ソビエト（労働者評議会）を創造することを基礎にして・ブルジョア国家権力を打倒しプロレタリア国家権力を樹立すべきことを対置した。

グラムシが、国家権力と工場における権力という二つの権力を想定し、前者を打倒してプロレタリア国家権力を樹立することと、各工場において工場評議会の権力を樹立することとを並行的に考え、そうすることによって実質上は前者の追求がおろそかにされたという問題性をつきだしている、という点では、ボルディガはただしい。しかし、彼の批判は、工場評議会にたいして地区ソビエトを対置するものとなっているのである。この意味では、ボルディガは、地区ソビエトと工場委員会とが組織形態上の連関をもっていなかったロシア革命における諸組織形態を原型として考えている、といえるのである。

われわれは現在的立場にたって、グラムシとボルディガとのこの対立をどのように止揚すべきなのか。二一世紀現代の日本においてプロレタリア革命を実現する闘いを考える。インフレが昂進して物が買えず、人手不足で労働者たちは過酷にこき使われ、階級情勢は緊迫している、とする。私は群馬県太田市に住んでおり、養護老人ホームの給食の仕事をやっていたのであったが、このときのことと考える。「われわれ」とは、わが探究派組織とその諸成員をさす、とする。この老人ホームの名前は、ヒナギクであるとする。

老人ホームヒナギクの経営主体と、これから給食の業務の委託を受けているところの私が雇用されている会社とは企業体としては異なるのであるが、われわれは、ヒナギクで働いているすべての労働者たちに呼びかけ彼らを組織してヒナギク職場評議会を創造しその代表委員を選出しなければならない。ヒナギクは工場ではないので職場評議会と呼ぶことにする。工場評議会をもふくめて、一般に、職場評議会と呼ぶのが適切であろう。

給食会社の正規雇用労働者が加盟する労働組合は存在するのであるが、この会社の非正規雇用労働者にも、ヒナギク経営体の介護労働者にも、彼らが加盟する労働組合は存在しない、という諸条件のもとで、われわれは、これらのすべての労働者を包括するかたちでヒナギク職場評議会を創造するのである。われわれは、このような職場評議会を諸職場に拡大することをとおして、会社派幹部がにぎっていたところの給食会社の労働組合を解体するのである。

ヒナギク職場評議会は、すべての権限をみずからが掌握し、職場を管理しなければならない。あらゆる職場に労働者の評議会を創造するためにたたかっているという諸条件のもとでは、介護職場においてストライキという闘争形態をとることはできない。そんなことをすれば、入居者の老人たちの生命を維持することができないからである。このゆえに、職場評議会が全権を掌握し労働を遂行する、としなければならないのである。介護施設の労働者と給食会社の労働者とがいっしょになって職場評議会を創造し、この職場評議会が全権を掌握したのであるからして、この時点で、この職場評議会が——介護施設経営体と給食会社から所有権を剥奪し——この介護施設の生産諸手段を実質上所有した、といいうるのである。

太田市には、自動車企業スバルの本社と諸工場があり、その他の諸産業の諸工場もあり、さらに農業も残っているので、太田市全体を一つの地区とするには大きすぎる。いくつかの地区に分けなければならない。この分け方は、その時点での主客諸条件による。私の住んでいる地区を、太田市の北部地区とし、ヒナギクのある地区を中央西地区としよう。

労働者たちが太田市の全権を掌握するためには、太田市評議会（太田市ソビエト）を創造しなければならない。そしてこの市評議会を創造するためには、産業別業種別の評議会（産業別業種別ソビエト）と、地区の労働者・住民の評議会（地区ソビエト）を創造することが必要なのである。

私は、介護施設ヒナギクの職場評議会総会を開催するために諸活動を展開し、この総会で、ヒナギク職場評議会の代表機関の委員たちと、そして市介護施設評議会に送る代表委員と、さらに中央西地区評議会に送る代表委員とを選出しなければならない。これらの代表委員たちの一部は同一の人物でなければならない。そうでなければ有機性を喪失してしまうからである。市介護施設評議会は市評議会の代表委員を選出し、中央西地区評議会もまた同様に市評議会の代表委員を選出する。

私は、同時に、北部地区において、その住民・個人経営主・農民などの代表を選挙によって選出し、職場から選出された代表とともに、地区評議会代表大会を開催する、という活動を展開し、この大会で市評議会の代表委員を選出するのである。

創造された市介護施設評議会は、市内のすべての介護施設の全権を掌握し、その労働と運営を、したがって労働者たちの移動と配置を、指揮し統括しなければならない。このゆえに、この時点で、市介護施設評議会が市内のすべての介護施設の生産諸手段を実質上所有した、といいうるのである。したがって、市介護施設評議会は、市内のすべての介護施設の経営者と管理者からその権限を剥奪し、みずからの統御のもとに・これらの人たちを一労働者として介護施設に配置しなければならない。

われわれは、このような組織形態を、県レベル、全国的レベルへと積み上げ、全国的な統一労働者評議会（統一ソビエト）を創造し、このもとに全権力を掌握しなければならならない。われわれは、このようにして、統一労働者評議会（統一ソビエト）を実体的基礎とするプロレタリアート独裁国家を樹立するのである。

われわれは、この統一労働者評議会（統一ソビエト）を、職場評議会を基底の組織として創造しなければならないのであり、それを、産業別的業種別的構成と地方別的地区別的構成との二重の構成をもつものとして確立しなければならないのである。

われわれは、このように解明する、というかたちで、グラムシとボルディガとの対立を止揚しなければならない。

二〇二三年七月一一日

〔9〕 ボルディガの革命理論

イタリアの一九二〇年代の、反ムッソリーニの統一戦線にかんして、わが仲間の山尾行平さんがいろいろと調べ考察したものを送ってきてくれた。彼と私との討論を、以下に明らかにする。

山尾行平さんから

一九二〇年、レーニンがボルディガを左翼小児病と批判。一九二一年、イタリア共産党結成、ボルディガ派が多数派。一九二一年、コミンテルン第三回大会、統一戦線戦術の提起。一九二二年、イタリア共産党第二回大会、ボルディガは統一戦線を労働組合に限定して認めるとする妥協、グラムシをコミンテルンに派遣。一九二二年、コミンテルン第四回大会。一九二三年、コミンテルンの指示でボルディガらの執行部を解任、ボルディガがコミンテルンとの対立について全党討論を呼びかけるが、グラムシは署名を拒否。一九二四年、拡大中央委員会、ボルディガ派がなお多数派を占めたが、コミンテルンの指示で執行部からボルディガ派を排除。一九二六年、イタリア共産党第三回大会、リヨンテーゼはグラムシの路線の統一戦線戦術（ファシズム打倒とプロレタリアート独裁を直結せず共和議会・工業の労働者統制など中間的解決をはさむ）を提唱、グラムシら逮捕後トリアッティが中心に指導。一九二八年、コミンテルン第六回大会、社会ファシズム論を提起。一九三〇年、トレッソ、レオネッティ、ラヴァッツオーリら除名。ボルディガ除名。

以上を詳しく論じた河野穣（グラムシの工場評議会論文の訳者）による「イタリアの労使関係と諸政党についての覚書」という論文があります。タイトルが変なのは中央学院大学の商業科というような学科の紀要に掲載したからか。『イタリア共産党史一九二一〜一九四三　ファシズムとコミンテルンのはざまで』（河野穣、一九八〇年、新評論）という本もあります。一九三〇年の除名は、トリアッティがコミンテルンの権力闘争に鵜的に対応した結果のようです。

左翼小児病という批判はボルディガ名指しで、議会ボイコット主義についてなされています。

私から

反ムッソリーニの統一戦線をめぐる問題は、対立の構図と内容が複雑すぎて、私にはなおよくのみこめない。

この統一戦線をめぐる問題と、一九二〇年のレーニンによるボルディガの議会ボイコット主義にたいする批判とは区別する必要があり、われわれの考察にとって、後者よりも前者の統一戦線をめぐる問題のほうが重要である、と思われる。

この点にかんしては、敵は社会党ではなくムッソリーニである。しかし他面、反ムッソリーニの統一戦線を結成することは、共産党が社会党と合同することではない。

また、反ムッソリーニの統一戦線を結成してたたかう、という指針を構想することは、グラムシが考えたものであるところの、ファシスト政権を打倒してプロレタリアート独裁権力を樹立するまえに、共和制的な、また工場の労働者統制というような、中間段階を設定することではない。共産党が（社会党や）労働組合などの大衆団体を広範に結集して、したがって共産党員が労働組合員として活動してその労働組合の結集をかちとって、ムッソリーニ政権の攻撃に反対する闘いを展開し、――ファシストの労働者・労働者団体にたいする武力的な攻撃をも、武装した労働者の闘いによって粉砕し、――この闘いをとおして、この過程で、工場評議会および労働者評議会（ソビエト）を結成して、ムッソリーニ政権を打倒し、このソビエトを唯一の国家家力＝プロレタリアート独裁権力にたかめるべきなのである。グラムシは、このような、労働者階級を階級として組織するという問題を、なんらかの中間段階を設定する、という問題にすりかえているのである。

基本的には、こう考えるべきではないだろうか。

なお、一九三〇年の問題は、社会ファシズム論に転じたスターリンに屈服しすり寄ったトリアッティが、ボルディガを追放した、といえよう。

山尾行平さんから

統一戦線をめぐる問題について

党を掌握したグラムシの一九二六年のリヨンテーゼにおける共和制や労働者統制という中間段階の設定は、反ファシスト闘争のなかで工場評議会さらに労働者評議会を結成してソヴィエトをプロレタリアート独裁権力にたかめるというプロレタリア革命の主体的推進構造の解明なしに、プロレタリアートの階級としての組織化を中間段階の設定にすりかえるものだ、という提起はそのとおりだと思います。

悩ましいのはボルディガです。コミンテルンの統一戦線戦術を批判し、人民突撃隊による反ファシズム武装闘争からも召還した指導の問題性以前に、ボルディガの革命観をもう一度検討しなければという気がします。ボルディガによるグラムシらの工場評議会運動への批判、すなわち工場の権力を握ることへの一面化という指摘はあたっています。特にのちにグラムシから右側へ決裂したタスカが、「プロレタリアートが技術的な準備と社会教育の仕事を完了したとき」プロレタリアート独裁は暴力なしで可能であると述べているのは、改良主義への転落でしょう。しかし、ボルディガによる地区ソヴィエト↓統一ソヴィエトによる国家権力奪取の対置の中身に大いに疑問があります。ボルディガは、ソヴィエトじたいを「資本主義国家の打倒後の権力行使においてプロレタリアートの代表がとる形態」と規定し、「ブルジョア国家権力崩壊の瞬間に」大衆に直接選挙された都市または地方の労働者評議会で構成されるものとしています。かれは、ブルジョア国家権力が存続しているあいだについて、「労働者評議会が設立されたという事実は、革命の問題が解決されたことを意味するものではなく、革命に絶対の条件が整備されたことを意味するものでもない」「ソヴィエトは本質的に革命機関ではない」と言っています。ボルディガは、「勝利したプロレタリアートの国家機関であるソヴィエトは、プロレタリアートの革命闘争の機関となりうるか」と問い、もちろんかれの答えはＮＯですが、ソヴィエトは「しかし、ある段階において、党が主導する革命闘争に適した条件を形成する」こともあるのだと留保します。これは、プロレタリア革命はソヴィエトを実体的基礎として成し遂げられるとするわれわれとはまったく異なり、前衛党による革命です。ボルディガ曰く「イタリアに真の共産党を設立するという問題は、ソヴィエトを創設するという問題よりもはるかに緊急である」。また五〇年後の最晩年にAgainst anti-fascism（反ファシズムに抗して）というインタヴューの七問目で一九二〇年の工場占拠について問われたボルディガは、「グラムシが信じていたように、労働者が工場を占拠し、その経済的・技術的管理を引き継ぐことで共産主義革命がはじまる、という考えをわれわれは否定した。われわれの立場によれば、ゼネスト宣言後にプロレタリアートの政治的独裁を達成する総反乱を扇動するために、労働者部隊は州庁舎と警察本部を攻撃すべきであった。」と答えています。かれにとっては、党直属の精鋭部隊があれば、別に地区ソヴィエトなど、必ずしも必要ではなかったのだと思います。

以上、ボルディガの主張は「イタリアにおける労働者評議会の設立に向けて」（一九二〇年一〜二月「イル・ソヴィエト」に連載）に全部出ています。

私から

ボルディガは、ロシア革命にかんして、コルニーロフの反乱を粉砕するためにボルシェビキはソビエトを武装したというようなことがらを無視抹殺し、一〇月に、ボルシェビキ党が武装蜂起して国家権力を奪取し、この国家権力をソビエトに渡した、というようなかたちで教訓化しているようですね。

山尾さんがボルディガにかんして明らかにしているような問題について、われわれはほりさげて考察していく必要がある。

二〇二三年七月二二日

〔10〕 えっ、こんなことあるの？

えっ、こんなことあるの？　日本のプロレタリアは悲観することない、という感じである。

「組織討議で論議して確認してきたこと、職場や組合の、まわりの労働者をオルグしていくときに、「労働者の社会を創ろう」ということを話していこう、とか、マルクス主義の用語も使いつつそれを説明しながら論議していこう、とか、コソコソ・スタイルではなくて、とかということを基礎に熱く論議してきた。そしたらここまで拓けてきた。」――これが、わが仲間の感想＝ふりかえりである。

やはり、これまでの、ここ何十年の革マル派組織建設がおかしかったのではないだろうか。困難は、日本のプロレタリアのせいではない、と私は思うのである。

二〇二三年八月一日

〔11〕われわれはわれわれがつくりだした現実を変革するために実践するのである

われわれはあくまでもわれわれがつくりだした現実を変革するために実践するのであり、われわれがつくりだした現実を変革するという実践的立場にたってわれわれの実践の指針を構想するのである。われわれは、われわれが相対している相手が善人であることを期待して活動するのではない。われわれは自分の地歩を自分自身で築かなければならない。

われわれはこのことをわれわれの教訓としなければならない。

われわれは、われわれの仲間の実践をやり方として教訓化するのではないのである。

二〇二三年八月四日

〈12〉 O⇓Cというように記号的に表現したほうがイメージをわかせやすいであろうか

われわれはわれわれが活動している場の階級的現実に対決し、この階級的現実を変革するために、というように、われわれは問題をたて自分の頭をまわすわけである。しかし、実際には、このように自分の足を踏んばり、身構え、頭をまわすのはなかなか難しいのである。

ここにいう階級的現実とは、われわれがそれまでのわれわれの実践によってつくりかえた現実である。それは、おのれがつくりかえてきたところのおのれにとっての対象だけではなく、そのように実践したおのれがおのれ自身をつくりかえてきたおのれをもふくむところの現実そのものなのであり、この現実におのれが対決するのである。

O⇓Cと表記したところの、Oは、この場においてあるわれわれ、わが組織をさすのであるが、Cはこの場の階級的現実をさし、階級 class の c をとってきたものである。

英語の class は名詞としてだけではなく形容詞としても使えるそうであり、階級的現実は、そのまま言葉をおきかえれば、class reality となるのであるが、これでは向こうの人たちには意味がわからないので、reality of class struggle とするのがいいそうである。これをもう一回日本語にもどせば、階級闘争の現実となり、これでいいわけである。

とにかく、われわれは自分のおいてある場の階級的現実に対決するんだ、ということを自分の頭に思い浮かべるのはたいへんなことなのである。

二〇二三年八月五日

〈13〉「場が異なる」という論じ方について

私は次のようなことを書いてきた。

「われわれは、われわれがおいてある場の階級的現実を変革する、という実践的=場所的立場にたって、われわれの実践の指針を解明しなければならない。

ここにいう階級的現実とは、われわれがそれまでのわれわれの実践によってつくりかえた現実である。それは、おのれがつくりかえてきたところのおのれにとっての対象だけではなく、そのように実践したおのれがおのれ自身をつくりかえてきたおのれをもふくむところの現実そのものなのであり、この現実におのれが対決するのである。

すなわち、われわれはわれわれがつくりだした現実を変革するために実践するのであり、われわれがつくりだした現実を変革するという実践的立場にたってわれわれの実践の指針を構想するのである。」

「われわれがわが党として提起したわが党の闘争＝組織戦術（E_2）を、職場の特殊的および個別的の諸条件の具体的分析にふまえて、われわれが組合員あるいは組合役員としてうちだす組合の運動＝組織方針（E_2u）として具体化する、という考え方は誤りである。前者を、日本階級闘争総体・あるいは・一定の産業部門の階級闘争総体を措定して解明する、と考えるのであるならば、前者と後者とでは、われわれとわれわれのおいてある場が異なるのである。」

一部のわが仲間たちは、これの後半の展開に大いに納得した。あるいは、前半の展開よりも後半の展開に関心をもった。

だが、後半の展開を前半の展開から切り離し自立化させて考察するならば、それは誤謬に転化するのである。

次のように整理したとしよう。「われわれが日本階級闘争総体・あるいは・一定の産業部門の階級闘争総体に対決するという実体的対立を措定してわれわれの実践の指針を解明するばあいと、われわれが自分の職場の階級的現実に対決するという実体的対立を措定してわれわれの実践の指針を解明するばあいとでは、われわれとわれわれのおいてある場が異なるのである」、と。

このように論じたときには、このように論じているおのれは宇宙船に乗ってしまっているのであり、宇宙船に乗って現実を見て、場が異なるということを比較解釈しているのである。われわれはあくまでも実践的立場にたっておのれの実践を考察しなければならない。

二〇二三年八月一三日

〔14〕経験主義や政治技術主義におちいらないために、と考えて

われわれは自分の実践の指針を解明するときには、経験主義や政治技術主義におちいらないためにはわれわれの理論をわれわれのおいてある場の現実の下向分析に適用しなければならない、と考える。

われわれは、われわれがのりこえの立場にたってわれわれの実践の指針を解明する、と考えるわけである。のりこえの立場とは記号的に表現すれば、O⇒P_1である。そこで、自分の組合ではP_1といえるものは何か、と考える。組合は会社の言うことをオウム返しにするだけの連中ににぎられていて運動らしいものは何もない。これを運動とおさえるかなあ、と考える。あるいは、そういえば日本共産党くずれのやつがいるなあ、あいつがしゃべったりうごめいたりしていることを日本共産党系の運動＝P_1とおいて、このP_1をのりこえる、というようにするかなあ、と考える。それとも、日本の階級闘争全体を念頭において、独占資本家どもによる合理化攻撃とこれに反対する既成の運動と考えるかなあ、しかし、いま会社がかけてきているのはこの会社の独自の再編の攻撃だから、合理化というには無理があるんだよなあ、とわれわれは困ってしまう。

こういうときに、もう無理だ、経験的に身につけた自分の政治的感覚を働かせてやっていく以外にない、とならないためには、あるいは逆に、経験主義におちいらないためにどうしても理論的基礎づけが必要だ、

$O \Rightarrow P_1$という理論を適用しなければならない、何がP_1なのだろうか、と思案しつづける、すなわちP_1と規定すべきものをさがしつづける、とならないためには、$O \Rightarrow P_1$ということの解明に適用されている実践論そのものにたちもどらなければならない。われわれが現実に対決し、この現実を変革するために、というようにわれわれは考えなければならない。

理論のアテハメあるいは理論解釈主義と経験主義との両者を克服していくためには、こういう頭のまわし方が必要だ、と私は考える。

二〇二三年八月一三日

〔15〕 職場闘争・労働運動の新たな感覚を獲得しよう

人間は時代の子である。人間は、自分自身が成長してきた過程に大きく規定される。われわれの、共産主義者としての成長もまたそうである、といえる。

われわれが共産主義者として＝組織成員として成長したうえで、自分自身がこれまで体験し体得してきたのとは異なるまったく新しい感覚を身につけるのは、なかなか難しい。というのは、成長した共産主義者であるわれわれは、実際にはその感覚がまったく新しいものであったとしても、それを、自分自身がすでにもっている感覚のうちに、これと同じようなものとしてとりこんでしまうからである。こうなると、成長したうえでは、われわれは、自分が育ってきた過程で体験した感覚より以上のものを獲得することはなくなる。ここで「まったく新しい感覚」と表現したのは、これまでは知識としては知っていても体験するのははじめて、ということを鮮明にするためである。

右のことは、黒田寛一といえどもそうであった、と私は感じるのである。私が感じるに、黒田は、学生運動にかんすることのほうが感覚が動いている、労働運動にかんしてはそれ自体には感覚が動かず、むしろそれを学生運動と同じようなものとしてみるかたちで感覚が動いている、と思えるのである。

かつて黒田は私に何度も語った。「労働運動には、理論化しえないような具体的な問題がいろいろある。労働運動の理論的解明にはそのような問題が入ってくる。労働運動論の展開は、組織現実論の理論的展開のようにはいかない」、と。その語り口調は、述懐というようなものであった。いまから思えば、そのような具体的な問題について黒田が新たに感覚的につかみとる努力をその後おこなった、という感じが私にはしないのである。

学生運動の経験の豊かなメンバーや、党常任あるいは党の諸機関を担っていたメンバーが就職したばあいにもまた、同様のことが問題となる。

私は、六〇歳を過ぎて老人ホームの給食の職場に就職してたたかい、新たに発見し感覚としてつかみとったことがあった。

次のようなことがあった。私は現場管理者に、私の賃金の支払い方の細かいこと（賃金の支払い対象月の私の労働時間が、パートタイマーの月労働時間にかんして会社の健康保険に加入させなければならない労働時間の法的規定をこえることのないようにそれよりも低く定められている社内規定をこえた部分をどのように取り扱うのかという問題――ただし私が計算すると法的規定の労働時間はこえていない）について抗議した。そうすると、地域事務所の管理者たちが私の過去の毎月の給与明細書を全部持ってきて現場管理者をふくめて勢ぞろいし、過去はこうだった、ああだ、こうだ、と論議し、会社が金銭的に損をすることではなく、また法的規定に抵触することでもないので、彼らは私の主張を認めた。私は、私をもふくむこの光景をまざまざと見て、私が抗議したことにたいして管理者たちはこんなふうなかたちで検討し、私との協議にのるのだ、と感じ、彼らの対応の仕方をつかんだ、と思ったのである。そして、そうすると、職場の諸課題にかんして私が彼らとこれと同じようなかたちで交渉して一定の譲歩をかちとり、このことを職場のみんなに話して、みんなに労働者としての自覚をつくりだし、団結を創造していくのがいい、と私は考えたのである。

このことから自分自身をふりかえると、それまでは、私は、新たな反スターリン主義組織の担い手を創造するために、私が職場闘争をたたかい、職場の労働者たちにともにたたかうことを呼びかけ、彼らと論議して彼らを階級的に変革していく、ということを追求してきたのであったが、このばあいに、私が管理者たちにいろいろと抗議し要求したことにたいして彼ら管理者たちがどのように対応し検討するのかということを具体的に推論してつかみとる、という意識が私にはなかった、と気づかされた。それとともに同時に、管理者たちから一定の譲歩をかちとり、これを、職場のみんなの団結の成果である、というように職場の労働者たちと論議して、彼らに自分たちの団結の力への実感と自覚と自信をつくりだし、彼らを階級的にたかめていく、ということが欠如していた、と私は気づいたのである。

私がいろいろと組織的に論議し書いてきたのは、このことにもとづくのである。

以上のことは、私自身についてのことがらである。

私がいま言いたいのは、われわれは、自分自身が職場闘争をたたかい、また労働組合において活動して、そのときどきのその瞬間に新たな感覚を獲得し、それを自覚して文章として対象化し（さらにそれを理論的に基礎づけて理論的に展開し）ていかなければならない、ということである。

二〇二三年八月一八日

〈16〉われわれは組合員として組合役員をオルグできなければならない

われわれの思想的組織的および組合運動上の力量は、組合役員をオルグできるかどうかということにおいてためされる。

われわれは組合員として、いろいろな場において、組合員たちが苦しんでいる職場の焦眉の課題をめぐって「会社経営陣・管理者と闘争してこういうことをかちとらなければならない、と私は思うのだけれども、役員さんはその点についてどう考えるか」、というように、組合執行部役員たちに提起して論議しなければならない。われわれのこのイデオロギー闘争の力量がどれだけのものであるのか、どれだけ自己を訓練しえているのか、各メンバーのこの力量をどれだけ組織的につくりだしえているのか、ということが決定的なのである。

われわれは、彼ら役員たちが、何をどう感覚しているのか、会社経営陣・管理者たちとどのような関係をつくりだしているのか、何を怖れているのか、どのように押しこまれているのか、自分自身のどのような野心ないし生活設計をもっているのかをつかみ、おったて、ひっくりかえしていく必要があるわけである。

われわれは組合員として、このような論議を、個別的なかたちでも、組合員たちが大勢いる場でも、その場にふさわしいかたちでやっていかなければならない。

そして、その論議を個別的なかたちでやったばあいには、われわれは組合員として、組合員たちそれぞれと、「あの役員さんと話してみると、彼はこういうことで悩んでいるようだ」、というように、もしも本人につたわったときには本人を傷つけない程度の表現で話し、「会社経営陣・管理者と闘争していくためには、われわれの組合のこういう弱さを克服し、こういうように強化していく必要があるんじゃないか」、というように、論議を深め、組合員たちを強化していかなければならない。

われわれは、組合運動の公然の場面でこのように積極的に論議して、組合役員と組合員たちを変革し、この論議に食らいてきた組合員たちをさらにマルクス主義者へと思想的にたかめ獲得していかなければならない。

組合役員に知られないように組合員たちをオルグする、また自分がマルクス主義者であることを隠す、というコソコソ・スタイルを克服することが、何よりも肝要なのである。

二〇二三年八月二二日

編著者

松代秀樹（まつしろひでき）

著書 『「資本論」と現代資本主義』（こぶし書房）

『松崎明と黒田寛一、その挫折の深層』（プラズマ出版）など

春木良（はるきりょう）

論文 「国際的な理論闘争からの逃亡」（『ナショナリズムの超克』所収）など

国際主義の貫徹

プロレタリア階級闘争論の開拓

2023年10月26日 初版第1刷発行

編著者 松代秀樹・春木良

発行所 株式会社プラズマ出版

〒274-0825

千葉県船橋市前原西1-26-19 マインツィンメル津田沼202号

TEL：047-409-3569

FAX：047-779-1686

e-mail：plasma.pb@outlook.jp

URL：https://plasmashuppan.webnode.jp/

 ISBN978-4-910323-06-0 C0036